교육실습일지

교육실습일지

A NOTE BOOK OF TEACHING PRACTICUM

박철홍 김병주 김재춘 조규락 정 은 김상섭 이윤주 허 준 이용상 공저

영남대학교출판부

차례

실 습 일 정 표

구분 / 주	월 일	요 일	활동내용
제 1 주			
제 2 주			
제 3 주			
제 4 주			

좌 석 표

학년 반

담당학급 (　학년　반)

교시 \ 요일	월	화	수	목	금
1					
2					
3					
4					
5					
6					
7					
8					

담임교사 (　　　　)

교시 \ 요일	월	화	수	목	금
1					
2					
3					
4					
5					
6					
7					
8					

교과지도교사 (　　　　)

교시 \ 요일	월	화	수	목	금
1					
2					
3					
4					
5					
6					
7					
8					

실습생 본인

교시 \ 요일	월	화	수	목	금
1					
2					
3					
4					
5					
6					
7					
8					

학교현장실습 일지

1. 학교현장실습 일지 결재
2. 실습 일지 작성시 유의점
3. 연수록
4. 학교현장실습 일지
5. 상담일지
6. 수업 참관록(교사/교생/본인)
7. 수업 협의록

학교현장실습 일지 결재

중간 결재

<table>
<tr><td rowspan="2">결재</td><td>부 장</td><td>교 감</td></tr>
<tr><td></td><td></td></tr>
</table>

최종 결재

<table>
<tr><td rowspan="2">결재</td><td>부 장</td><td>교 감</td><td>교 장</td></tr>
<tr><td></td><td></td><td></td></tr>
</table>

실습 일지 작성시 유의점

1. 오늘의 계획

① 주요 일정 : 직원회의의 내용 및 전달사항, 주요일정을 기록한다.
② 조·종례 전달 사항 : 조회 및 종례 시 학생들에게 전달할 내용을 기록한다.

2. 교육실습생 협의 및 교육 내용

① 교육실습생 전체 협의 및 학급별 협의사항을 기록한다.
② 교장, 교감, 지도교사의 교육 내용을 요약하여 기록한다.

3. 교수학습 지도사항 및 소감, 배운점

① 수업할 교수 학습 내용 중에 핵심 사항, 유의할 점을 정리한다.
② 당일 수업한 내용을 기록한다.
③ 당일 수업을 통해 배운 점, 소감을 정리하여 기록한다.

4. 학급경영·생활지도사항 및 소감, 배운점

① 학급상황(자율학습, 아침조회, 수업시간, 청소시간, 점심시간, 방과 후)을 관찰하여 기록한다.
② 학생 상담 사항을 간단히 기록한다.
③ 청소지도(담당구역 청소지도와 학급 당번)와 환경 위생지도(게시물, 학급비품 정리와 관리, 교실환기, 학생용의)에 관하여 기록한다.
④ 중식 지도 및 등하교 시 교통 지도에 관하여 기록한다.
⑤ 당일 학급경영, 생활지도를 통해 배운 점, 소감을 정리하여 기록한다.

5. 종합 소감 및 반성

남은 교육실습과 미래 교원으로서의 행동에 초점을 두어 하루의 종합 소감과 교육적 반성을 기록한다.

6. 지도교사의 조언

실습 일지 작성 후, 학교현장실습에 대한 지도교사의 조언을 얻는다.

5. 유의점

① 학생·교사·학부모의 긍정적인 면을 발견하려는 태도와 학교현장에 대해 배우려는 자세를 가진다.
② 교사와 학교의 어려운 여건과 실태가 무엇인가를 관찰하고, 실현 가능한 개선 방안을 찾기 위해 노력한다.
③ 실습생이 교사와 학생의 관찰대상임을 인식하고 예비교사로서 품위를 견지한다.

연 수 록

담당교사		일시	월 일(요일) -
주 제			

[연수내용]

[소 감]

연 수 록

담당교사		일시	월 일(요일) -
주 제			

[연수내용]

[소 감]

연 수 록

담당교사		일시	월 일(요일) -
주 제			
[연수내용]			
[소 감]			

연 수 록

담당교사		일시	월 일(요일) -
주 제			

[연수내용]

[소 감]

연 수 록

담당교사		일시	월　일(　요일)　　-
주　　제			

[연수내용]

[소　　감]

학교현장실습 일지

학급지도교사	부　　장

20　년　　월　　일　　요일　날씨 (　　)

오늘의 계획	주요일정	
	조·종례 전달사항	
교생 협의 및 교육 내용		
교수 학습 지도 사항 및 소감, 배운 점		
학급경영 · 생활지도 사항 및 소감, 배운점		
종합소감 및 개선점		
지도 교사 조　　언		

학급지도교사	부 장

학교현장실습 일지

20 년 월 일 요일 날씨 ( )

오늘의 계획	주 요 일 정	
	조 · 종 례 전 달 사 항	
교생 협의 및 교육 내용		
교수 학습 지도 사항 및 소감, 배운 점		
학급경영 · 생활지도 사항 및 소감, 배운점		
종합소감 및 개선점		
지도 교사 조 언		

학교현장실습 일지

학급지도교사	부　장

20　년　월　일　요일 날씨 (　)

오늘의 계획	주요일정	
	조 · 종례 전달사항	
교생 협의 및 교육 내용		
교수 학습 지도 사항 및 소감, 배운 점		
학급경영 · 생활지도 사항 및 소감, 배운점		
종합소감 및 개선점		
지도 교사 조　언		

학교현장실습 일지

학급지도교사	부　　장

20　　년　　월　　일　　요일　날씨 (　　)

오늘의 계획	주 요 일 정	
	조 · 종 례 전 달 사 항	
교생 협의 및 교육 내용		
교수 학습 지도 사항 및 소감, 배운 점		
학급경영 · 생활지도 사항 및 소감, 배운점		
종합소감 및 개선점		
지도 교사 조　　언		

학교현장실습 일지

학급지도교사	부 장

20 년 월 일 요일 날씨 ( )

오늘의 계획	주요일정	
	조 · 종례 전달사항	
교생 협의 및 교육 내용		
교수 학습 지도 사항 및 소감, 배운 점		
학급경영 · 생활지도 사항 및 소감, 배운점		
종합소감 및 개선점		
지도 교사 조 언		

학교현장실습 일지

학급지도교사	부　　장

20 년 월 일 요일 날씨 ( )

오늘의 계획	주 요 일 정	
	조 · 종 례 전 달 사 항	
교생 협의 및 교육 내용		
교수 학습 지도 사항 및 소감, 배운 점		
학급경영 · 생활지도 사항 및 소감, 배운점		
종합소감 및 개선점		
지도 교사 조　　언		

학급지도교사	부 장

학교현장실습 일지

20 년 월 일 요일 날씨 ( )

오늘의 계획	주 요 일 정	
	조 · 종 례 전 달 사 항	
교생 협의 및 교육 내용		
교수 학습 지도 사항 및 소감, 배운 점		
학급경영 · 생활지도 사항 및 소감, 배운점		
종합소감 및 개선점		
지도 교사 조 언		

학급지도교사	부 장

학교현장실습 일지

20 년 월 일 요일 날씨 ( )

오늘의 계획	주 요 일 정	
	조 · 종 례 전 달 사 항	
교생 협의 및 교육 내용		
교수 학습 지도 사항 및 소감, 배운 점		
학급경영 · 생활지도 사항 및 소감, 배운점		
종합소감 및 개선점		
지도 교사 조 언		

학교현장실습 일지

학급지도교사	부　　장

20　　년　　월　　일　　요일　날씨 (　　)

오늘의 계획	주 요 일 정	
	조 · 종 례 전 달 사 항	
교생 협의 및 교육 내용		
교수 학습 지도 사항 및 소감, 배운 점		
학급경영 · 생활지도 사항 및 소감, 배운점		
종합소감 및 개선점		
지도 교사 조　　언		

학급지도교사	부 장

학교현장실습 일지

20 년 월 일 요일 날씨 ( )

오늘의 계획	주 요 일 정	
	조 · 종 례 전 달 사 항	
교생 협의 및 교육 내용		
교수 학습 지도 사항 및 소감, 배운 점		
학급경영 · 생활지도 사항 및 소감, 배운점		
종합소감 및 개선점		
지도 교사 조 언		

학교현장실습 일지

학급지도교사	부 장

20 년 월 일 요일 날씨 ( )

오늘의 계획	주요일정	
	조·종례 전달사항	
교생 협의 및 교육 내용		
교수 학습 지도 사항 및 소감, 배운 점		
학급경영 · 생활지도 사항 및 소감, 배운점		
종합소감 및 개선점		
지도 교사 조 언		

학교현장실습 일지

학급지도교사	부 장

20 년 월 일 요일 날씨 ( )

오늘의 계획	주 요 일 정	
	조 · 종 례 전 달 사 항	
교생 협의 및 교육 내용		
교수 학습 지도 사항 및 소감, 배운 점		
학급경영 · 생활지도 사항 및 소감, 배운점		
종합소감 및 개선점		
지도 교사 조 언		

학교현장실습 일지

학급지도교사	부　　장

20　년　　월　　일　　요일　날씨 (　　)

오늘의 계획	주 요 일 정	
	조 · 종 례 전 달 사 항	
교생 협의 및 교육 내용		
교수 학습 지도 사항 및 소감, 배운 점		
학급경영 · 생활지도 사항 및 소감, 배운점		
종합소감 및 개선점		
지도 교사 조　　언		

학교현장실습 일지

학급지도교사	부　　장

20　　년　　월　　일　　요일 날씨 (　　)

오늘의 계획	주 요 일 정	
	조 · 종 례 전 달 사 항	
교생 협의 및 교육 내용		
교수 학습 지도 사항 및 소감, 배운 점		
학급경영 · 생활지도 사항 및 소감, 배운점		
종합소감 및 개선점		
지도 교사 조　　언		

학급지도교사	부 장

학교현장실습 일지

20 년 월 일 요일 날씨 ( )

오늘의 계획	주 요 일 정	
	조 · 종 례 전 달 사 항	
교생 협의 및 교육 내용		
교수 학습 지도 사항 및 소감, 배운 점		
학급경영 · 생활지도 사항 및 소감, 배운점		
종합소감 및 개선점		
지도 교사 조 언		

학급지도교사	부 장

학교현장실습 일지

20 년 월 일 요일 날씨 ( )

오늘의 계획	주 요 일 정	
	조 · 종 례 전 달 사 항	
교생 협의 및 교육 내용		
교수 학습 지도 사항 및 소감, 배운 점		
학급경영 · 생활지도 사항 및 소감, 배운점		
종합소감 및 개선점		
지도 교사 조 언		

학교현장실습 일지

학급지도교사	부 장

20 년 월 일 요일 날씨 ( )

오늘의 계획	주 요 일 정	
	조 · 종 례 전 달 사 항	
교생 협의 및 교육 내용		
교수 학습 지도 사항 및 소감, 배운 점		
학급경영 · 생활지도 사항 및 소감, 배운점		
종합소감 및 개선점		
지도 교사 조 언		

학교현장실습 일지

학급지도교사	부　　장

20　년　　월　　일　　요일　날씨 (　　)

오늘의 계획	주 요 일 정	
	조 · 종 례 전 달 사 항	
교생 협의 및 교육 내용		
교수 학습 지도 사항 및 소감, 배운 점		
학급경영 · 생활지도 사항 및 소감, 배운점		
종합소감 및 개선점		
지도 교사 조　　언		

학교현장실습 일지

학급지도교사	부　　장

20　　년　　월　　일　　요일　날씨 (　　)

오늘의 계획	주 요 일 정	
	조 · 종 례 전 달 사 항	
교생 협의 및 교육 내용		
교수 학습 지도 사항 및 소감, 배운 점		
학급경영 · 생활지도 사항 및 소감, 배운점		
종합소감 및 개선점		
지도 교사 조　　언		

학급지도교사	부 장

학교현장실습 일지

20 년 월 일 요일 날씨 ( )

오늘의 계획	주 요 일 정	
	조 · 종 례 전 달 사 항	
교생 협의 및 교육 내용		
교수 학습 지도 사항 및 소감, 배운 점		
학급경영 · 생활지도 사항 및 소감, 배운점		
종합소감 및 개선점		
지도 교사 조 언		

학교현장실습 일지

학급지도교사	부　장

20 년 월 일 요일 날씨 ( )

오늘의 계획	주요일정	
	조·종례 전달사항	
교생 협의 및 교육 내용		
교수 학습 지도 사항 및 소감, 배운 점		
학급경영 · 생활지도 사항 및 소감, 배운점		
종합소감 및 개선점		
지도 교사 조　언		

학급지도교사	부 장

학교현장실습 일지

20 년 월 일 요일 날씨 ( )

오늘의 계획	주 요 일 정	
	조 · 종 례 전 달 사 항	
교생 협의 및 교육 내용		
교수 학습 지도 사항 및 소감, 배운 점		
학급경영 · 생활지도 사항 및 소감, 배운점		
종합소감 및 개선점		
지도 교사 조 언		

학교현장실습 일지

학급지도교사	부 장

20 년 월 일 요일 날씨 ( )

오늘의 계획	주 요 일 정	
	조 · 종 례 전 달 사 항	
교생 협의 및 교육 내용		
교수 학습 지도 사항 및 소감, 배운 점		
학급경영 · 생활지도 사항 및 소감, 배운점		
종합소감 및 개선점		
지도 교사 조 언		

학급지도교사	부　　장

학교현장실습 일지

20　　년　　월　　일　　요일　날씨 (　　)

오늘의 계획	주 요 일 정	
	조 · 종 례 전 달 사 항	
교생 협의 및 교육 내용		
교수 학습 지도 사항 및 소감, 배운 점		
학급경영 · 생활지도 사항 및 소감, 배운점		
종합소감 및 개선점		
지도 교사 조　　언		

학교현장실습 일지

학급지도교사	부 장

20 년 월 일 요일 날씨 ( )

오늘의 계획	주 요 일 정	
	조 · 종 례 전 달 사 항	
교생 협의 및 교육 내용		
교수 학습 지도 사항 및 소감, 배운 점		
학급경영 · 생활지도 사항 및 소감, 배운점		
종합소감 및 개선점		
지도 교사 조 언		

학급지도교사	부 장

학교현장실습 일지

20 년 월 일 요일 날씨 ( )

오늘의 계획	주 요 일 정	
	조 · 종 례 전 달 사 항	
교생 협의 및 교육 내용		
교수 학습 지도 사항 및 소감, 배운 점		
학급경영 · 생활지도 사항 및 소감, 배운점		
종합소감 및 개선점		
지도 교사 조 언		

학교현장실습 일지

학급지도교사	부　　장

20　　년　　월　　일　　요일　날씨 (　　)

오늘의 계획	주요일정	
	조 · 종례 전달사항	
교생 협의 및 교육 내용		
교수 학습 지도 사항 및 소감, 배운 점		
학급경영 · 생활지도 사항 및 소감, 배운점		
종합소감 및 개선점		
지도 교사 조　　언		

학급지도교사	부 장

학교현장실습 일지

20 년 월 일 요일 날씨 ( )

오늘의 계획	주 요 일 정	
	조 · 종 례 전 달 사 항	
교생 협의 및 교육 내용		
교수 학습 지도 사항 및 소감, 배운 점		
학급경영 · 생활지도 사항 및 소감, 배운점		
종합소감 및 개선점		
지도 교사 조 언		

학급지도교사	부　　장

학교현장실습 일지

20　년　　월　　일　　요일　날씨 (　　)

오늘의 계획	주 요 일 정	
	조 · 종 례 전 달 사 항	
교생 협의 및 교육 내용		
교수 학습 지도 사항 및 소감, 배운 점		
학급경영 · 생활지도 사항 및 소감, 배운점		
종합소감 및 개선점		
지도 교사 조　　언		

학급지도교사	부 장

학교현장실습 일지

20 년 월 일 요일 날씨 ( )

오늘의 계획	주 요 일 정	
	조 · 종 례 전 달 사 항	
교생 협의 및 교육 내용		
교수 학습 지도 사항 및 소감, 배운 점		
학급경영 · 생활지도 사항 및 소감, 배운점		
종합소감 및 개선점		
지도 교사 조 언		

수업 참관록(교사)

결 재	교과지도교사	부장

20　　년　　월　　일　　요일

지도교과		교사명	
단원명		대상	학년　　반

수 업 내 용 및 관 찰 사 항		
영역 및 단계	관찰 관점	특기 사항
교수·학습 과정안 분 석	ㅇ학습 목표의 적절성과 명료성	
	ㅇ교과 및 단원 특성에 맞는 수업 모형 적용	
	ㅇ교수·학습 내용의 체계적 구성	
	ㅇ자료의 적절성 및 유의점의 구체성	
	ㅇ시간 운영 및 환류 계획	
	ㅇ과정안의 형식 및 활동 중심성	
도입	ㅇ학습 환경 조성 및 정비	
	ㅇ학습동기 유발	
	ㅇ출발점 행동의 진단과 활용	
	ㅇ학습 문제의식과 목표의 명세 정도	
	ㅇ활동 계획 수립의 구체성	
	ㅇ자료의 준비성과 활용 정도	
전개	ㅇ학생의 능동적 수업 참여	
	ㅇ개인차에 대응하는 학습 활동	
	ㅇ과제 해결을 위한 기초 기능 지도의 정도	
	ㅇ교수·학습 및 문제 해결 과정의 적절성	
	ㅇ교과 특성에 맞는 학습 모형의 적용 여부	
	ㅇ오류에 대한 대응성	
	ㅇ탄력적인 시간 운영	
	ㅇ교사와 학생, 학생과 학생의 상호 작용	
	ㅇ학습자료 및 기자재의 활용성	
	ㅇ수업 매체의 적절성	
	ㅇ학습자의 질문 내용 및 발표 태도	
	ㅇ교사 발눈의 형식과 내용, 방법	
	ㅇ순회지도	
	ㅇ학습자의 참여성과 주의 집중력	
정리	ㅇ수업 목표의 도달도	
	ㅇ교재(교과서 및 자료)의 활용 정도	
	ㅇ판서의 구조화 정도	
	ㅇ수준별 교육과정의 반영 정도	
	ㅇ수행평가의 실천(평가의 적절성) 정도	
	ㅇ차시 예고 및 과제 제시의 정도	
참관소감 및 반성		

수업 참관록(교사)

결 재	교과지도교사	부장

2 0 　년 　월 　일 　요일

지도교과		교사명	
단원명		대상	학년 　반

수 업 내 용 　및 　관 찰 사 항

영역 및 단계	관찰 관점	특기 사항
교수·학습 과정안 분 석	ㅇ학습 목표의 적절성과 명료성	
	ㅇ교과 및 단원 특성에 맞는 수업 모형 적용	
	ㅇ교수·학습 내용의 체계적 구성	
	ㅇ자료의 적절성 및 유의점의 구체성	
	ㅇ시간 운영 및 환류 계획	
	ㅇ과정안의 형식 및 활동 중심성	
도입	ㅇ학습 환경 조성 및 정비	
	ㅇ학습동기 유발	
	ㅇ출발점 행동의 진단과 활용	
	ㅇ학습 문제의식과 목표의 명세 정도	
	ㅇ활동 계획 수립의 구체성	
	ㅇ자료의 준비성과 활용 정도	
전개	ㅇ학생의 능동적 수업 참여	
	ㅇ개인차에 대응하는 학습 활동	
	ㅇ과제 해결을 위한 기초 기능 지도의 정도	
	ㅇ교수·학습 및 문제 해결 과정의 적절성	
	ㅇ교과 특성에 맞는 학습 모형의 적용 여부	
	ㅇ오류에 대한 대응성	
	ㅇ탄력적인 시간 운영	
	ㅇ교사와 학생, 학생과 학생의 상호 작용	
	ㅇ학습자료 및 기자재의 활용성	
	ㅇ수업 매체의 적절성	
	ㅇ학습자의 질문 내용 및 발표 태도	
	ㅇ교사 발문의 형식과 내용, 방법	
	ㅇ순회지도	
	ㅇ학습자의 참여성과 주의 집중력	
정리	ㅇ수업 목표의 도달도	
	ㅇ교재(교과서 및 자료)의 활용 정도	
	ㅇ판서의 구조화 정도	
	ㅇ수준별 교육과정의 반영 정도	
	ㅇ수행평가의 실천(평가의 적절성) 정도	
	ㅇ차시 예고 및 과제 제시의 정도	
참관소감 및 반성		

수업 참관록(교사)

결 재	교과지도교사	부장

20 년 월 일 요일

지도교과		교사명	
단원명		대상	학년 반

수 업 내 용 및 관 찰 사 항

영역 및 단계	관찰 관점	특기 사항
교수·학습 과정안 분 석	ㅇ학습 목표의 적절성과 명료성	
	ㅇ교과 및 단원 특성에 맞는 수업 모형 적용	
	ㅇ교수·학습 내용의 체계적 구성	
	ㅇ자료의 적절성 및 유의점의 구체성	
	ㅇ시간 운영 및 환류 계획	
	ㅇ과정안의 형식 및 활동 중심성	
도입	ㅇ학습 환경 조성 및 정비	
	ㅇ학습동기 유발	
	ㅇ출발점 행동의 진단과 활용	
	ㅇ학습 문제의식과 목표의 명세 정도	
	ㅇ활동 계획 수립의 구체성	
	ㅇ자료의 준비성과 활용 정도	
전개	ㅇ학생의 능동적 수업 참여	
	ㅇ개인차에 대응하는 학습 활동	
	ㅇ과제 해결을 위한 기초 기능 지도의 정도	
	ㅇ교수·학습 및 문제 해결 과정의 적절성	
	ㅇ교과 특성에 맞는 학습 모형의 적용 여부	
	ㅇ오류에 대한 대응성	
	ㅇ탄력적인 시간 운영	
	ㅇ교사와 학생, 학생과 학생의 상호 작용	
	ㅇ학습자료 및 기자재의 활용성	
	ㅇ수업 매체의 적절성	
	ㅇ학습자의 질문 내용 및 발표 태도	
	ㅇ교사 발문의 형식과 내용, 방법	
	ㅇ순회지도	
	ㅇ학습자의 참여성과 주의 집중력	
정리	ㅇ수업 목표의 도달도	
	ㅇ교재(교과서 및 자료)의 활용 정도	
	ㅇ판서의 구조화 정도	
	ㅇ수준별 교육과정의 반영 정도	
	ㅇ수행평가의 실천(평가의 적절성) 정도	
	ㅇ차시 예고 및 과제 제시의 정도	
참관소감 및 반성		

수업 참관록(교사)

결 재	교과지도교사	부장

20　　년　　월　　일　　요일

지도교과		교사명	
단원명		대상	학년　　반

수 업 내 용 및 관 찰 사 항		
영역 및 단계	관찰 관점	특기 사항
교수·학습 과정안 분 석	ㅇ학습 목표의 적절성과 명료성	
	ㅇ교과 및 단원 특성에 맞는 수업 모형 적용	
	ㅇ교수·학습 내용의 체계적 구성	
	ㅇ자료의 적절성 및 유의점의 구체성	
	ㅇ시간 운영 및 환류 계획	
	ㅇ과정안의 형식 및 활동 중심성	
도입	ㅇ학습 환경 조성 및 정비	
	ㅇ학습동기 유발	
	ㅇ출발점 행동의 진단과 활용	
	ㅇ학습 문제의식과 목표의 명세 정도	
	ㅇ활동 계획 수립의 구체성	
	ㅇ자료의 준비성과 활용 정도	
전개	ㅇ학생의 능동적 수업 참여	
	ㅇ개인차에 대응하는 학습 활동	
	ㅇ과제 해결을 위한 기초 기능 지도의 정도	
	ㅇ교수·학습 및 문제 해결 과정의 적절성	
	ㅇ교과 특성에 맞는 학습 모형의 적용 여부	
	ㅇ오류에 대한 대응성	
	ㅇ탄력적인 시간 운영	
	ㅇ교사와 학생, 학생과 학생의 상호 작용	
	ㅇ학습자료 및 기자재의 활용성	
	ㅇ수업 매체의 적절성	
	ㅇ학습자의 질문 내용 및 발표 태도	
	ㅇ교사 발문의 형식과 내용, 방법	
	ㅇ순회지도	
	ㅇ학습자의 참여성과 주의 집중력	
정리	ㅇ수업 목표의 도달도	
	ㅇ교재(교과서 및 자료)의 활용 정도	
	ㅇ판서의 구조화 정도	
	ㅇ수준별 교육과정의 반영 정도	
	ㅇ수행평가의 실천(평가의 적절성) 정도	
	ㅇ차시 예고 및 과제 제시의 정도	
참관소감 및 반성		

수업 참관록(교사)

결 재	교과지도교사	부장

2 0　　년　　월　　일　　요일

지도교과		교사명	
단원명		대상	학년　반

수 업 내 용　및　관 찰 사 항

영역 및 단계	관찰 관점	특기 사항
교수·학습 과정안 분 석	ㅇ학습 목표의 적절성과 명료성	
	ㅇ교과 및 단원 특성에 맞는 수업 모형 적용	
	ㅇ교수·학습 내용의 체계적 구성	
	ㅇ자료의 적절성 및 유의점의 구체성	
	ㅇ시간 운영 및 환류 계획	
	ㅇ과정안의 형식 및 활동 중심성	
도입	ㅇ학습 환경 조성 및 정비	
	ㅇ학습동기 유발	
	ㅇ출발점 행동의 진단과 활용	
	ㅇ학습 문제의식과 목표의 명세 정도	
	ㅇ활동 계획 수립의 구체성	
	ㅇ자료의 준비성과 활용 정도	
전개	ㅇ학생의 능동적 수업 참여	
	ㅇ개인차에 대응하는 학습 활동	
	ㅇ과제 해결을 위한 기초 기능 지도의 정도	
	ㅇ교수·학습 및 문제 해결 과정의 적절성	
	ㅇ교과 특성에 맞는 학습 모형의 적용 여부	
	ㅇ오류에 대한 대응성	
	ㅇ탄력적인 시간 운영	
	ㅇ교사와 학생, 학생과 학생의 상호 작용	
	ㅇ학습자료 및 기자재의 활용성	
	ㅇ수업 매체의 적절성	
	ㅇ학습자의 질문 내용 및 발표 태도	
	ㅇ교사 발문의 형식과 내용, 방법	
	ㅇ순회지도	
	ㅇ학습자의 참여성과 주의 집중력	
정리	ㅇ수업 목표의 도달도	
	ㅇ교재(교과서 및 자료)의 활용 정도	
	ㅇ판서의 구조화 정도	
	ㅇ수준별 교육과정의 반영 정도	
	ㅇ수행평가의 실천(평가의 적절성) 정도	
	ㅇ차시 예고 및 과제 제시의 정도	
참관소감 및 반성		

수업 참관록(교사)

결 재	교과지도교사	부장

20 년 월 일 요일

지도교과		교사명	
단원명		대상	학년 반

수 업 내 용 및 관 찰 사 항

영역 및 단계	관찰 관점	특기 사항
교수·학습 과정안 분 석	ㅇ학습 목표의 적절성과 명료성	
	ㅇ교과 및 단원 특성에 맞는 수업 모형 적용	
	ㅇ교수·학습 내용의 체계적 구성	
	ㅇ자료의 적절성 및 유의점의 구체성	
	ㅇ시간 운영 및 환류 계획	
	ㅇ과정안의 형식 및 활동 중심성	
도입	ㅇ학습 환경 조성 및 정비	
	ㅇ학습동기 유발	
	ㅇ출발점 행동의 진단과 활용	
	ㅇ학습 문제의식과 목표의 명세 정도	
	ㅇ활동 계획 수립의 구체성	
	ㅇ자료의 준비성과 활용 정도	
전개	ㅇ학생의 능동적 수업 참여	
	ㅇ개인차에 대응하는 학습 활동	
	ㅇ과제 해결을 위한 기초 기능 지도의 정도	
	ㅇ교수·학습 및 문제 해결 과정의 적절성	
	ㅇ교과 특성에 맞는 학습 모형의 적용 여부	
	ㅇ오류에 대한 대응성	
	ㅇ탄력적인 시간 운영	
	ㅇ교사와 학생, 학생과 학생의 상호 작용	
	ㅇ학습자료 및 기자재의 활용성	
	ㅇ수업 매체의 적절성	
	ㅇ학습자의 질문 내용 및 발표 태도	
	ㅇ교사 발문의 형식과 내용, 방법	
	ㅇ순회지도	
	ㅇ학습자의 참여성과 주의 집중력	
정리	ㅇ수업 목표의 도달도	
	ㅇ교재(교과서 및 자료)의 활용 정도	
	ㅇ판서의 구조화 정도	
	ㅇ수준별 교육과정의 반영 정도	
	ㅇ수행평가의 실천(평가의 적절성) 정도	
	ㅇ차시 예고 및 과제 제시의 정도	
참관소감 및 반성		

수업 참관록(교사)

결 재	교과지도교사	부장

2 0 년 월 일 요일

지도교과		교사명	
단원명		대상	학년 반

수 업 내 용 및 관 찰 사 항

영역 및 단계	관찰 관점	특기 사항
교수·학습 과정안 분 석	ㅇ학습 목표의 적절성과 명료성	
	ㅇ교과 및 단원 특성에 맞는 수업 모형 적용	
	ㅇ교수·학습 내용의 체계적 구성	
	ㅇ자료의 적절성 및 유의점의 구체성	
	ㅇ시간 운영 및 환류 계획	
	ㅇ과정안의 형식 및 활동 중심성	
도입	ㅇ학습 환경 조성 및 정비	
	ㅇ학습동기 유발	
	ㅇ출발점 행동의 진단과 활용	
	ㅇ학습 문제의식과 목표의 명세 정도	
	ㅇ활동 계획 수립의 구체성	
	ㅇ자료의 준비성과 활용 정도	
전개	ㅇ학생의 능동적 수업 참여	
	ㅇ개인차에 대응하는 학습 활동	
	ㅇ과제 해결을 위한 기초 기능 지도의 정도	
	ㅇ교수·학습 및 문제 해결 과정의 적절성	
	ㅇ교과 특성에 맞는 학습 모형의 적용 여부	
	ㅇ오류에 대한 대응성	
	ㅇ탄력적인 시간 운영	
	ㅇ교사와 학생, 학생과 학생의 상호 작용	
	ㅇ학습자료 및 기자재의 활용성	
	ㅇ수업 매체의 적절성	
	ㅇ학습자의 질문 내용 및 발표 태도	
	ㅇ교사 발문의 형식과 내용, 방법	
	ㅇ순회지도	
	ㅇ학습자의 참여성과 주의 집중력	
정리	ㅇ수업 목표의 도달도	
	ㅇ교재(교과서 및 자료)의 활용 정도	
	ㅇ판서의 구조화 정도	
	ㅇ수준별 교육과정의 반영 정도	
	ㅇ수행평가의 실천(평가의 적절성) 정도	
	ㅇ차시 예고 및 과제 제시의 정도	
참관소감 및 반성		

수업 참관록(교사)

결 재	교과지도교사	부장

20　　년　　월　　일　　요일

지도교과		교사명	
단원명		대상	학년　　반

수 업 내 용 및 관 찰 사 항		
영역 및 단계	관찰 관점	특기 사항
교수·학습 과정안 분 석	○학습 목표의 적절성과 명료성	
	○교과 및 단원 특성에 맞는 수업 모형 적용	
	○교수·학습 내용의 체계적 구성	
	○자료의 적절성 및 유의점의 구체성	
	○시간 운영 및 환류 계획	
	○과정안의 형식 및 활동 중심성	
도입	○학습 환경 조성 및 정비	
	○학습동기 유발	
	○출발점 행동의 진단과 활용	
	○학습 문제의식과 목표의 명세 정도	
	○활동 계획 수립의 구체성	
	○자료의 준비성과 활용 정도	
전개	○학생의 능동적 수업 참여	
	○개인차에 대응하는 학습 활동	
	○과제 해결을 위한 기초 기능 지도의 정도	
	○교수·학습 및 문제 해결 과정의 적절성	
	○교과 특성에 맞는 학습 모형의 적용 여부	
	○오류에 대한 대응성	
	○탄력적인 시간 운영	
	○교사와 학생, 학생과 학생의 상호 작용	
	○학습자료 및 기자재의 활용성	
	○수업 매체의 적절성	
	○학습자의 질문 내용 및 발표 태도	
	○교사 발문의 형식과 내용, 방법	
	○순회지도	
	○학습자의 참여성과 주의 집중력	
정리	○수업 목표의 도달도	
	○교재(교과서 및 자료)의 활용 정도	
	○판서의 구조화 정도	
	○수준별 교육과정의 반영 정도	
	○수행평가의 실천(평가의 적절성) 정도	
	○차시 예고 및 과제 제시의 정도	
참관소감 및 반성		

수업 참관록(교사)

20　　년　　월　　일　　요일

결 재	교과지도교사	부장

지도교과		교사명	
단원명		대상	학년　　반

수업내용 및 관찰사항		
영역 및 단계	관찰 관점	특기 사항
교수·학습 과정안 분 석	ㅇ학습 목표의 적절성과 명료성	
	ㅇ교과 및 단원 특성에 맞는 수업 모형 적용	
	ㅇ교수·학습 내용의 체계적 구성	
	ㅇ자료의 적절성 및 유의점의 구체성	
	ㅇ시간 운영 및 환류 계획	
	ㅇ과정안의 형식 및 활동 중심성	
도입	ㅇ학습 환경 조성 및 정비	
	ㅇ학습동기 유발	
	ㅇ출발점 행동의 진단과 활용	
	ㅇ학습 문제의식과 목표의 명세 정도	
	ㅇ활동 계획 수립의 구체성	
	ㅇ자료의 준비성과 활용 정도	
전개	ㅇ학생의 능동적 수업 참여	
	ㅇ개인차에 대응하는 학습 활동	
	ㅇ과제 해결을 위한 기초 기능 지도의 정도	
	ㅇ교수·학습 및 문제 해결 과정의 적절성	
	ㅇ교과 특성에 맞는 학습 모형의 적용 여부	
	ㅇ오류에 대한 대응성	
	ㅇ탄력적인 시간 운영	
	ㅇ교사와 학생, 학생과 학생의 상호 작용	
	ㅇ학습자료 및 기자재의 활용성	
	ㅇ수업 매체의 적절성	
	ㅇ학습자의 질문 내용 및 발표 태도	
	ㅇ교사 발문의 형식과 내용, 방법	
	ㅇ순회지도	
	ㅇ학습자의 참여성과 주의 집중력	
정리	ㅇ수업 목표의 도달도	
	ㅇ교재(교과서 및 자료)의 활용 정도	
	ㅇ판서의 구조화 정도	
	ㅇ수준별 교육과정의 반영 정도	
	ㅇ수행평가의 실천(평가의 적절성) 정도	
	ㅇ차시 예고 및 과제 제시의 정도	
참관소감 및 반성		

수업 참관록(교사)

결 재	교과지도교사	부장

20 년 월 일 요일

지도교과		교사명	
단원명		대상	학년 반

수 업 내 용 및 관 찰 사 항

영역 및 단계	관찰 관점	특기 사항
교수·학습 과정안 분 석	ㅇ학습 목표의 적절성과 명료성	
	ㅇ교과 및 단원 특성에 맞는 수업 모형 적용	
	ㅇ교수·학습 내용의 체계적 구성	
	ㅇ자료의 적절성 및 유의점의 구체성	
	ㅇ시간 운영 및 환류 계획	
	ㅇ과정안의 형식 및 활동 중심성	
도입	ㅇ학습 환경 조성 및 정비	
	ㅇ학습동기 유발	
	ㅇ출발점 행동의 진단과 활용	
	ㅇ학습 문제의식과 목표의 명세 정도	
	ㅇ활동 계획 수립의 구체성	
	ㅇ자료의 준비성과 활용 정도	
전개	ㅇ학생의 능동적 수업 참여	
	ㅇ개인차에 대응하는 학습 활동	
	ㅇ과제 해결을 위한 기초 기능 지도의 정도	
	ㅇ교수·학습 및 문제 해결 과정의 적절성	
	ㅇ교과 특성에 맞는 학습 모형의 적용 여부	
	ㅇ오류에 대한 대응성	
	ㅇ탄력적인 시간 운영	
	ㅇ교사와 학생, 학생과 학생의 상호 작용	
	ㅇ학습자료 및 기자재의 활용성	
	ㅇ수업 매체의 적절성	
	ㅇ학습자의 질문 내용 및 발표 태도	
	ㅇ교사 발문의 형식과 내용, 방법	
	ㅇ순회지도	
	ㅇ학습자의 참여성과 주의 집중력	
정리	ㅇ수업 목표의 도달도	
	ㅇ교재(교과서 및 자료)의 활용 정도	
	ㅇ판서의 구조화 정도	
	ㅇ수준별 교육과정의 반영 정도	
	ㅇ수행평가의 실천(평가의 적절성) 정도	
	ㅇ차시 예고 및 과제 제시의 정도	
참관소감 및 반성		

수업 참관록(교사)

결 재	교과지도교사	부장

2 0 년 월 일 요일

지도교과		교사명	
단원명		대상	학년 반

수 업 내 용 및 관 찰 사 항		
영역 및 단계	관찰 관점	특기 사항
교수·학습 과정안 분 석	ㅇ학습 목표의 적절성과 명료성	
	ㅇ교과 및 단원 특성에 맞는 수업 모형 적용	
	ㅇ교수·학습 내용의 체계적 구성	
	ㅇ자료의 적절성 및 유의점의 구체성	
	ㅇ시간 운영 및 환류 계획	
	ㅇ과정안의 형식 및 활동 중심성	
도입	ㅇ학습 환경 조성 및 정비	
	ㅇ학습동기 유발	
	ㅇ출발점 행동의 진단과 활용	
	ㅇ학습 문제의식과 목표의 명세 정도	
	ㅇ활동 계획 수립의 구체성	
	ㅇ자료의 준비성과 활용 정도	
전개	ㅇ학생의 능동적 수업 참여	
	ㅇ개인차에 대응하는 학습 활동	
	ㅇ과제 해결을 위한 기초 기능 지도의 정도	
	ㅇ교수·학습 및 문제 해결 과정의 적절성	
	ㅇ교과 특성에 맞는 학습 모형의 적용 여부	
	ㅇ오류에 대한 대응성	
	ㅇ탄력적인 시간 운영	
	ㅇ교사와 학생, 학생과 학생의 상호 작용	
	ㅇ학습자료 및 기자재의 활용성	
	ㅇ수업 매체의 적절성	
	ㅇ학습자의 질문 내용 및 발표 태도	
	ㅇ교사 발문의 형식과 내용, 방법	
	ㅇ순회지도	
	ㅇ학습자의 참여성과 주의 집중력	
정리	ㅇ수업 목표의 도달도	
	ㅇ교재(교과서 및 자료)의 활용 정도	
	ㅇ판서의 구조화 정도	
	ㅇ수준별 교육과정의 반영 정도	
	ㅇ수행평가의 실천(평가의 적절성) 정도	
	ㅇ차시 예고 및 과제 제시의 정도	
참관소감 및 반성		

수업 참관록(교사)

결 재	교과지도교사	부장

20 년 월 일 요일

지도교과		교사명	
단원명		대상	학년 반

수 업 내 용 및 관 찰 사 항

영역 및 단계	관찰 관점	특기 사항
교수·학습 과정안 분 석	ㅇ학습 목표의 적절성과 명료성	
	ㅇ교과 및 단원 특성에 맞는 수업 모형 적용	
	ㅇ교수·학습 내용의 체계적 구성	
	ㅇ자료의 적절성 및 유의점의 구체성	
	ㅇ시간 운영 및 환류 계획	
	ㅇ과정안의 형식 및 활동 중심성	
도입	ㅇ학습 환경 조성 및 정비	
	ㅇ학습동기 유발	
	ㅇ출발점 행동의 진단과 활용	
	ㅇ학습 문제의식과 목표의 명세 정도	
	ㅇ활동 계획 수립의 구체성	
	ㅇ자료의 준비성과 활용 정도	
전개	ㅇ학생의 능동적 수업 참여	
	ㅇ개인차에 대응하는 학습 활동	
	ㅇ과제 해결을 위한 기초 기능 지도의 정도	
	ㅇ교수·학습 및 문제 해결 과정의 적절성	
	ㅇ교과 특성에 맞는 학습 모형의 적용 여부	
	ㅇ오류에 대한 대응성	
	ㅇ탄력적인 시간 운영	
	ㅇ교사와 학생, 학생과 학생의 상호 작용	
	ㅇ학습자료 및 기자재의 활용성	
	ㅇ수업 매체의 적절성	
	ㅇ학습자의 질문 내용 및 발표 태도	
	ㅇ교사 발문의 형식과 내용, 방법	
	ㅇ순회지도	
	ㅇ학습자의 참여성과 주의 집중력	
정리	ㅇ수업 목표의 도달도	
	ㅇ교재(교과서 및 자료)의 활용 정도	
	ㅇ판서의 구조화 정도	
	ㅇ수준별 교육과정의 반영 정도	
	ㅇ수행평가의 실천(평가의 적절성) 정도	
	ㅇ차시 예고 및 과제 제시의 정도	
참관소감 및 반성		

수업 참관록(교생)

결재	교과지도교사	부장

20 년 월 일 요일

수업교과		교생명	
단원명		대상	학년 반

수 업 내 용 및 관 찰 사 항

영역 및 단계	관찰 관점	평가 상	평가 중	평가 하	특기 사항
교수·학습 과정안 분 석	ㅇ학습 목표의 적절성과 명료성				
	ㅇ교과 및 단원 특성에 맞는 수업 모형 적용				
	ㅇ교수·학습 내용의 체계적 구성				
	ㅇ자료의 적절성 및 유의점의 구체성				
	ㅇ시간 운영 및 환류 계획				
	ㅇ과정안의 형식 및 활동 중심성				
도 입	ㅇ학습 환경 조성 및 정비				
	ㅇ학습동기 유발				
	ㅇ출발점 행동의 진단과 활용				
	ㅇ학습 문제의식과 목표의 명세 정도				
	ㅇ활동 계획 수립의 구체성				
	ㅇ자료의 준비성과 활용 정도				
전 개	ㅇ학생의 능동적 수업 참여				
	ㅇ개인차에 대응하는 학습 활동				
	ㅇ과제 해결을 위한 기초 기능 지도의 정도				
	ㅇ교수·학습 및 문제 해결 과정의 적절성				
	ㅇ교과 특성에 맞는 학습 모형의 적용 여부				
	ㅇ오류에 대한 대응성				
	ㅇ탄력적인 시간 운영				
	ㅇ교사와 학생, 학생과 학생의 상호 작용				
	ㅇ학습자료 및 기자재의 활용성				
	ㅇ수업 매체의 적절성				
	ㅇ학습자의 질문 내용 및 발표 태도				
	ㅇ교사 발문의 형식과 내용, 방법				
	ㅇ순회지도				
	ㅇ학습자의 참여성과 주의 집중력				
정 리	ㅇ수업 목표의 도달도				
	ㅇ교재(교과서 및 자료)의 활용 정도				
	ㅇ판서의 구조화 정도				
	ㅇ수준별 교육과정의 반영 정도				
	ㅇ수행평가의 실천(평가의 적절성) 정도				
	ㅇ차시 예고 및 과제 제시의 정도				
참관소감 및 반성					

수업 참관록(교생)

결재	교과지도교사	부장

20 년 월 일 요일

수업교과		교생명				
단원명		대상				학년 반
수업내용 및 관찰사항						
영역 및 단계	관찰 관점	평가			특기 사항	
		상	중	하		
교수·학습 과정안 분석	ㅇ학습 목표의 적절성과 명료성					
	ㅇ교과 및 단원 특성에 맞는 수업 모형 적용					
	ㅇ교수·학습 내용의 체계적 구성					
	ㅇ자료의 적절성 및 유의점의 구체성					
	ㅇ시간 운영 및 환류 계획					
	ㅇ과정안의 형식 및 활동 중심성					
도 입	ㅇ학습 환경 조성 및 정비					
	ㅇ학습동기 유발					
	ㅇ출발점 행동의 진단과 활용					
	ㅇ학습 문제의식과 목표의 명세 정도					
	ㅇ활동 계획 수립의 구체성					
	ㅇ자료의 준비성과 활용 정도					
전 개	ㅇ학생의 능동적 수업 참여					
	ㅇ개인차에 대응하는 학습 활동					
	ㅇ과제 해결을 위한 기초 기능 지도의 정도					
	ㅇ교수·학습 및 문제 해결 과정의 적절성					
	ㅇ교과 특성에 맞는 학습 모형의 적용 여부					
	ㅇ오류에 대한 대응성					
	ㅇ탄력적인 시간 운영					
	ㅇ교사와 학생, 학생과 학생의 상호 작용					
	ㅇ학습자료 및 기자재의 활용성					
	ㅇ수업 매체의 적절성					
	ㅇ학습자의 질문 내용 및 발표 태도					
	ㅇ교사 발문의 형식과 내용, 방법					
	ㅇ순회지도					
	ㅇ학습자의 참여성과 주의 집중력					
정 리	ㅇ수업 목표의 도달도					
	ㅇ교재(교과서 및 자료)의 활용 정도					
	ㅇ판서의 구조화 정도					
	ㅇ수준별 교육과정의 반영 정도					
	ㅇ수행평가의 실천(평가의 적절성) 정도					
	ㅇ차시 예고 및 과제 제시의 정도					
참관소감 및 반성						

수업 참관록(교생)

결재	교과지도교사	부장

20 년 월 일 요일

수업교과		교생명	
단원명		대상	학년 반

수 업 내 용 및 관 찰 사 항

영역 및 단계	관찰 관점	평가 상	평가 중	평가 하	특기 사항
교수·학습 과정안 분 석	ㅇ학습 목표의 적절성과 명료성				
	ㅇ교과 및 단원 특성에 맞는 수업 모형 적용				
	ㅇ교수·학습 내용의 체계적 구성				
	ㅇ자료의 적절성 및 유의점의 구체성				
	ㅇ시간 운영 및 환류 계획				
	ㅇ과정안의 형식 및 활동 중심성				
도 입	ㅇ학습 환경 조성 및 정비				
	ㅇ학습동기 유발				
	ㅇ출발점 행동의 진단과 활용				
	ㅇ학습 문제의식과 목표의 명세 정도				
	ㅇ활동 계획 수립의 구체성				
	ㅇ자료의 준비성과 활용 정도				
전 개	ㅇ학생의 능동적 수업 참여				
	ㅇ개인차에 대응하는 학습 활동				
	ㅇ과제 해결을 위한 기초 기능 지도의 정도				
	ㅇ교수·학습 및 문제 해결 과정의 적절성				
	ㅇ교과 특성에 맞는 학습 모형의 적용 여부				
	ㅇ오류에 대한 대응성				
	ㅇ탄력적인 시간 운영				
	ㅇ교사와 학생, 학생과 학생의 상호 작용				
	ㅇ학습자료 및 기자재의 활용성				
	ㅇ수업 매체의 적절성				
	ㅇ학습자의 질문 내용 및 발표 태도				
	ㅇ교사 발문의 형식과 내용, 방법				
	ㅇ순회지도				
	ㅇ학습자의 참여성과 주의 집중력				
정 리	ㅇ수업 목표의 도달도				
	ㅇ교재(교과서 및 자료)의 활용 정도				
	ㅇ판서의 구조화 정도				
	ㅇ수준별 교육과정의 반영 정도				
	ㅇ수행평가의 실천(평가의 적절성) 정도				
	ㅇ차시 예고 및 과제 제시의 정도				
참관소감 및 반성					

수업 참관록(교생)

결재	교과지도교사	부장

20　년　월　일　요일

수업교과		교생명	
단원명		대상	학년　반

수업내용 및 관찰사항

<table>
<tr><th rowspan="2">영역 및 단계</th><th rowspan="2">관찰 관점</th><th colspan="3">평가</th><th rowspan="2">특기 사항</th></tr>
<tr><th>상</th><th>중</th><th>하</th></tr>
<tr><td rowspan="6">교수·학습 과정안 분석</td><td>○학습 목표의 적절성과 명료성</td><td></td><td></td><td></td><td rowspan="6"></td></tr>
<tr><td>○교과 및 단원 특성에 맞는 수업 모형 적용</td><td></td><td></td><td></td></tr>
<tr><td>○교수·학습 내용의 체계적 구성</td><td></td><td></td><td></td></tr>
<tr><td>○자료의 적절성 및 유의점의 구체성</td><td></td><td></td><td></td></tr>
<tr><td>○시간 운영 및 환류 계획</td><td></td><td></td><td></td></tr>
<tr><td>○과정안의 형식 및 활동 중심성</td><td></td><td></td><td></td></tr>
<tr><td rowspan="6">도 입</td><td>○학습 환경 조성 및 정비</td><td></td><td></td><td></td><td rowspan="6"></td></tr>
<tr><td>○학습동기 유발</td><td></td><td></td><td></td></tr>
<tr><td>○출발점 행동의 진단과 활용</td><td></td><td></td><td></td></tr>
<tr><td>○학습 문제의식과 목표의 명세 정도</td><td></td><td></td><td></td></tr>
<tr><td>○활동 계획 수립의 구체성</td><td></td><td></td><td></td></tr>
<tr><td>○자료의 준비성과 활용 정도</td><td></td><td></td><td></td></tr>
<tr><td rowspan="14">전 개</td><td>○학생의 능동적 수업 참여</td><td></td><td></td><td></td><td rowspan="14"></td></tr>
<tr><td>○개인차에 대응하는 학습 활동</td><td></td><td></td><td></td></tr>
<tr><td>○과제 해결을 위한 기초 기능 지도의 정도</td><td></td><td></td><td></td></tr>
<tr><td>○교수·학습 및 문제 해결 과정의 적절성</td><td></td><td></td><td></td></tr>
<tr><td>○교과 특성에 맞는 학습 모형의 적용 여부</td><td></td><td></td><td></td></tr>
<tr><td>○오류에 대한 대응성</td><td></td><td></td><td></td></tr>
<tr><td>○탄력적인 시간 운영</td><td></td><td></td><td></td></tr>
<tr><td>○교사와 학생, 학생과 학생의 상호 작용</td><td></td><td></td><td></td></tr>
<tr><td>○학습자료 및 기자재의 활용성</td><td></td><td></td><td></td></tr>
<tr><td>○수업 매체의 적절성</td><td></td><td></td><td></td></tr>
<tr><td>○학습자의 질문 내용 및 발표 태도</td><td></td><td></td><td></td></tr>
<tr><td>○교사 발문의 형식과 내용, 방법</td><td></td><td></td><td></td></tr>
<tr><td>○순회지도</td><td></td><td></td><td></td></tr>
<tr><td>○학습자의 참여성과 주의 집중력</td><td></td><td></td><td></td></tr>
<tr><td rowspan="6">정 리</td><td>○수업 목표의 도달도</td><td></td><td></td><td></td><td rowspan="6"></td></tr>
<tr><td>○교재(교과서 및 자료)의 활용 정도</td><td></td><td></td><td></td></tr>
<tr><td>○판서의 구조화 정도</td><td></td><td></td><td></td></tr>
<tr><td>○수준별 교육과정의 반영 정도</td><td></td><td></td><td></td></tr>
<tr><td>○수행평가의 실천(평가의 적절성) 정도</td><td></td><td></td><td></td></tr>
<tr><td>○차시 예고 및 과제 제시의 정도</td><td></td><td></td><td></td></tr>
<tr><td>참관소감 및 반성</td><td colspan="5"></td></tr>
</table>

수업 참관록(교생)

결재	교과지도교사	부장

20 년 월 일 요일

수업교과		교생명	
단원명		대상	학년 반

수 업 내 용 및 관 찰 사 항

영역 및 단계	관찰 관점	평가 상	평가 중	평가 하	특기 사항
교수·학습 과정안 분 석	ㅇ학습 목표의 적절성과 명료성				
	ㅇ교과 및 단원 특성에 맞는 수업 모형 적용				
	ㅇ교수·학습 내용의 체계적 구성				
	ㅇ자료의 적절성 및 유의점의 구체성				
	ㅇ시간 운영 및 환류 계획				
	ㅇ과정안의 형식 및 활동 중심성				
도 입	ㅇ학습 환경 조성 및 정비				
	ㅇ학습동기 유발				
	ㅇ출발점 행동의 진단과 활용				
	ㅇ학습 문제의식과 목표의 명세 정도				
	ㅇ활동 계획 수립의 구체성				
	ㅇ자료의 준비성과 활용 정도				
전 개	ㅇ학생의 능동적 수업 참여				
	ㅇ개인차에 대응하는 학습 활동				
	ㅇ과제 해결을 위한 기초 기능 지도의 정도				
	ㅇ교수·학습 및 문제 해결 과정의 적절성				
	ㅇ교과 특성에 맞는 학습 모형의 적용 여부				
	ㅇ오류에 대한 대응성				
	ㅇ탄력적인 시간 운영				
	ㅇ교사와 학생, 학생과 학생의 상호 작용				
	ㅇ학습자료 및 기자재의 활용성				
	ㅇ수업 매체의 적절성				
	ㅇ학습자의 질문 내용 및 발표 태도				
	ㅇ교사 발문의 형식과 내용, 방법				
	ㅇ순회지도				
	ㅇ학습자의 참여성과 주의 집중력				
정 리	ㅇ수업 목표의 도달도				
	ㅇ교재(교과서 및 자료)의 활용 정도				
	ㅇ판서의 구조화 정도				
	ㅇ수준별 교육과정의 반영 정도				
	ㅇ수행평가의 실천(평가의 적절성) 정도				
	ㅇ차시 예고 및 과제 제시의 정도				
참관소감 및 반성					

수업 참관록(교생)

결재	교과지도교사	부장

20　　년　　월　　일　　요일

수업교과		교생명	
단원명		대상	학년　　반

수 업 내 용 및 관 찰 사 항

영역 및 단계	관찰 관점	평가 상	평가 중	평가 하	특기 사항
교수·학습 과정안 분 석	ㅇ학습 목표의 적절성과 명료성				
	ㅇ교과 및 단원 특성에 맞는 수업 모형 적용				
	ㅇ교수·학습 내용의 체계적 구성				
	ㅇ자료의 적절성 및 유의점의 구체성				
	ㅇ시간 운영 및 환류 계획				
	ㅇ과정안의 형식 및 활동 중심성				
도 입	ㅇ학습 환경 조성 및 정비				
	ㅇ학습동기 유발				
	ㅇ출발점 행동의 진단과 활용				
	ㅇ학습 문제의식과 목표의 명세 정도				
	ㅇ활동 계획 수립의 구체성				
	ㅇ자료의 준비성과 활용 정도				
전 개	ㅇ학생의 능동적 수업 참여				
	ㅇ개인차에 대응하는 학습 활동				
	ㅇ과제 해결을 위한 기초 기능 지도의 정도				
	ㅇ교수·학습 및 문제 해결 과정의 적절성				
	ㅇ교과 특성에 맞는 학습 모형의 적용 여부				
	ㅇ오류에 대한 대응성				
	ㅇ탄력적인 시간 운영				
	ㅇ교사와 학생, 학생과 학생의 상호 작용				
	ㅇ학습자료 및 기자재의 활용성				
	ㅇ수업 매체의 적절성				
	ㅇ학습자의 질문 내용 및 발표 태도				
	ㅇ교사 발문의 형식과 내용, 방법				
	ㅇ순회지도				
	ㅇ학습자의 참여성과 주의 집중력				
정 리	ㅇ수업 목표의 도달도				
	ㅇ교재(교과서 및 자료)의 활용 정도				
	ㅇ판서의 구조화 정도				
	ㅇ수준별 교육과정의 반영 정도				
	ㅇ수행평가의 실천(평가의 적절성) 정도				
	ㅇ차시 예고 및 과제 제시의 정도				
참관소감 및 반성					

수업 참관록(교생)

결재	교과지도교사	부장

20 년 월 일 요일

수업교과		교생명	
단원명		대상	학년 반

수업내용 및 관찰사항					
영역 및 단계	관찰 관점	평가			특기 사항
		상	중	하	
교수·학습 과정안 분 석	ㅇ학습 목표의 적절성과 명료성				
	ㅇ교과 및 단원 특성에 맞는 수업 모형 적용				
	ㅇ교수·학습 내용의 체계적 구성				
	ㅇ자료의 적절성 및 유의점의 구체성				
	ㅇ시간 운영 및 환류 계획				
	ㅇ과정안의 형식 및 활동 중심성				
도 입	ㅇ학습 환경 조성 및 정비				
	ㅇ학습동기 유발				
	ㅇ출발점 행동의 진단과 활용				
	ㅇ학습 문제의식과 목표의 명세 정도				
	ㅇ활동 계획 수립의 구체성				
	ㅇ자료의 준비성과 활용 정도				
전 개	ㅇ학생의 능동적 수업 참여				
	ㅇ개인차에 대응하는 학습 활동				
	ㅇ과제 해결을 위한 기초 기능 지도의 정도				
	ㅇ교수·학습 및 문제 해결 과정의 적절성				
	ㅇ교과 특성에 맞는 학습 모형의 적용 여부				
	ㅇ오류에 대한 대응성				
	ㅇ탄력적인 시간 운영				
	ㅇ교사와 학생, 학생과 학생의 상호 작용				
	ㅇ학습자료 및 기자재의 활용성				
	ㅇ수업 매체의 적절성				
	ㅇ학습자의 질문 내용 및 발표 태도				
	ㅇ교사 발문의 형식과 내용, 방법				
	ㅇ순회지도				
	ㅇ학습자의 참여성과 주의 집중력				
정 리	ㅇ수업 목표의 도달도				
	ㅇ교재(교과서 및 자료)의 활용 정도				
	ㅇ판서의 구조화 정도				
	ㅇ수준별 교육과정의 반영 정도				
	ㅇ수행평가의 실천(평가의 적절성) 정도				
	ㅇ차시 예고 및 과제 제시의 정도				
참관소감 및 반성					

결재	교과지도교사	부장

수업 참관록(교생)

20　　년　　월　　일　　요일

수업교과		교생명	
단원명		대상	학년　　반

수 업 내 용　및　관 찰 사 항

영역 및 단계	관찰 관점	평가 상	평가 중	평가 하	특기 사항
교수·학습 과정안 분석	ㅇ학습 목표의 적절성과 명료성				
	ㅇ교과 및 단원 특성에 맞는 수업 모형 적용				
	ㅇ교수·학습 내용의 체계적 구성				
	ㅇ자료의 적절성 및 유의점의 구체성				
	ㅇ시간 운영 및 환류 계획				
	ㅇ과정안의 형식 및 활동 중심성				
도 입	ㅇ학습 환경 조성 및 정비				
	ㅇ학습동기 유발				
	ㅇ출발점 행동의 진단과 활용				
	ㅇ학습 문제의식과 목표의 명세 정도				
	ㅇ활동 계획 수립의 구체성				
	ㅇ자료의 준비성과 활용 정도				
전 개	ㅇ학생의 능동적 수업 참여				
	ㅇ개인차에 대응하는 학습 활동				
	ㅇ과제 해결을 위한 기초 기능 지도의 정도				
	ㅇ교수·학습 및 문제 해결 과정의 적절성				
	ㅇ교과 특성에 맞는 학습 모형의 적용 여부				
	ㅇ오류에 대한 대응성				
	ㅇ탄력적인 시간 운영				
	ㅇ교사와 학생, 학생과 학생의 상호 작용				
	ㅇ학습자료 및 기자재의 활용성				
	ㅇ수업 매체의 적절성				
	ㅇ학습자의 질문 내용 및 발표 태도				
	ㅇ교사 발문의 형식과 내용, 방법				
	ㅇ순회지도				
	ㅇ학습자의 참여성과 주의 집중력				
정 리	ㅇ수업 목표의 도달도				
	ㅇ교재(교과서 및 자료)의 활용 정도				
	ㅇ판서의 구조화 정도				
	ㅇ수준별 교육과정의 반영 정도				
	ㅇ수행평가의 실천(평가의 적절성) 정도				
	ㅇ차시 예고 및 과제 제시의 정도				
참관소감 및 반성					

수업 참관록(교생)

결재	교과지도교사	부장

20 년 월 일 요일

수업교과		교생명	
단원명		대상	학년 반

수 업 내 용 및 관 찰 사 항					
영역 및 단계	관찰 관점	평가			특기 사항
		상	중	하	
교수·학습 과정안 분 석	○학습 목표의 적절성과 명료성				
	○교과 및 단원 특성에 맞는 수업 모형 적용				
	○교수·학습 내용의 체계적 구성				
	○자료의 적절성 및 유의점의 구체성				
	○시간 운영 및 환류 계획				
	○과정안의 형식 및 활동 중심성				
도 입	○학습 환경 조성 및 정비				
	○학습동기 유발				
	○출발점 행동의 진단과 활용				
	○학습 문제의식과 목표의 명세 정도				
	○활동 계획 수립의 구체성				
	○자료의 준비성과 활용 정도				
전 개	○학생의 능동적 수업 참여				
	○개인차에 대응하는 학습 활동				
	○과제 해결을 위한 기초 기능 지도의 정도				
	○교수·학습 및 문제 해결 과정의 적절성				
	○교과 특성에 맞는 학습 모형의 적용 여부				
	○오류에 대한 대응성				
	○탄력적인 시간 운영				
	○교사와 학생, 학생과 학생의 상호 작용				
	○학습자료 및 기자재의 활용성				
	○수업 매체의 적절성				
	○학습자의 질문 내용 및 발표 태도				
	○교사 발문의 형식과 내용, 방법				
	○순회지도				
	○학습자의 참여성과 주의 집중력				
정 리	○수업 목표의 도달도				
	○교재(교과서 및 자료)의 활용 정도				
	○판서의 구조화 정도				
	○수준별 교육과정의 반영 정도				
	○수행평가의 실천(평가의 적절성) 정도				
	○차시 예고 및 과제 제시의 정도				
참관소감 및 반성					

수업 참관록(교생)

결재	교과지도교사	부장

20 년 월 일 요일

수업교과		교생명	
단원명		대상	학년 반

수 업 내 용 및 관 찰 사 항

영역 및 단계	관찰 관점	평가 상	평가 중	평가 하	특기 사항
교수·학습 과정안 분 석	ㅇ학습 목표의 적절성과 명료성				
	ㅇ교과 및 단원 특성에 맞는 수업 모형 적용				
	ㅇ교수·학습 내용의 체계적 구성				
	ㅇ자료의 적절성 및 유의점의 구체성				
	ㅇ시간 운영 및 환류 계획				
	ㅇ과정안의 형식 및 활동 중심성				
도 입	ㅇ학습 환경 조성 및 정비				
	ㅇ학습동기 유발				
	ㅇ출발점 행동의 진단과 활용				
	ㅇ학습 문제의식과 목표의 명세 정도				
	ㅇ활동 계획 수립의 구체성				
	ㅇ자료의 준비성과 활용 정도				
전 개	ㅇ학생의 능동적 수업 참여				
	ㅇ개인차에 대응하는 학습 활동				
	ㅇ과제 해결을 위한 기초 기능 지도의 정도				
	ㅇ교수·학습 및 문제 해결 과정의 적절성				
	ㅇ교과 특성에 맞는 학습 모형의 적용 여부				
	ㅇ오류에 대한 대응성				
	ㅇ탄력적인 시간 운영				
	ㅇ교사와 학생, 학생과 학생의 상호 작용				
	ㅇ학습자료 및 기자재의 활용성				
	ㅇ수업 매체의 적절성				
	ㅇ학습자의 질문 내용 및 발표 태도				
	ㅇ교사 발문의 형식과 내용, 방법				
	ㅇ순회지도				
	ㅇ학습자의 참여성과 주의 집중력				
정 리	ㅇ수업 목표의 도달도				
	ㅇ교재(교과서 및 자료)의 활용 정도				
	ㅇ판서의 구조화 정도				
	ㅇ수준별 교육과정의 반영 정도				
	ㅇ수행평가의 실천(평가의 적절성) 정도				
	ㅇ차시 예고 및 과제 제시의 정도				
참관소감 및 반성					

수업 참관록(교생)

결재	교과지도교사	부장

20　년　월　일　요일

수업교과		교생명	
단원명		대상	학년　　반

수 업 내 용　및　관 찰 사 항

영역 및 단계	관찰 관점	평가 상	평가 중	평가 하	특기 사항
교수·학습 과정안 분 석	○학습 목표의 적절성과 명료성				
	○교과 및 단원 특성에 맞는 수업 모형 적용				
	○교수·학습 내용의 체계적 구성				
	○자료의 적절성 및 유의점의 구체성				
	○시간 운영 및 환류 계획				
	○과정안의 형식 및 활동 중심성				
도 입	○학습 환경 조성 및 정비				
	○학습동기 유발				
	○출발점 행동의 진단과 활용				
	○학습 문제의식과 목표의 명세 정도				
	○활동 계획 수립의 구체성				
	○자료의 준비성과 활용 정도				
전 개	○학생의 능동적 수업 참여				
	○개인차에 대응하는 학습 활동				
	○과제 해결을 위한 기초 기능 지도의 정도				
	○교수·학습 및 문제 해결 과정의 적절성				
	○교과 특성에 맞는 학습 모형의 적용 여부				
	○오류에 대한 대응성				
	○탄력적인 시간 운영				
	○교사와 학생, 학생과 학생의 상호 작용				
	○학습자료 및 기자재의 활용성				
	○수업 매체의 적절성				
	○학습자의 질문 내용 및 발표 태도				
	○교사 발문의 형식과 내용, 방법				
	○순회지도				
	○학습자의 참여성과 주의 집중력				
정 리	○수업 목표의 도달도				
	○교재(교과서 및 자료)의 활용 정도				
	○판서의 구조화 정도				
	○수준별 교육과정의 반영 정도				
	○수행평가의 실천(평가의 적절성) 정도				
	○차시 예고 및 과제 제시의 정도				
참관소감 및 반성					

수업 참관록(교생)

결재	교과지도교사	부장

20 년 월 일 요일

수업교과		교생명	
단원명		대상	학년 반

수 업 내 용 및 관 찰 사 항

영역 및 단계	관찰 관점	평가 상	평가 중	평가 하	특기 사항
교수·학습 과정안 분 석	○학습 목표의 적절성과 명료성				
	○교과 및 단원 특성에 맞는 수업 모형 적용				
	○교수·학습 내용의 체계적 구성				
	○자료의 적절성 및 유의점의 구체성				
	○시간 운영 및 환류 계획				
	○과정안의 형식 및 활동 중심성				
도 입	○학습 환경 조성 및 정비				
	○학습동기 유발				
	○출발점 행동의 진단과 활용				
	○학습 문제의식과 목표의 명세 정도				
	○활동 계획 수립의 구체성				
	○자료의 준비성과 활용 정도				
전 개	○학생의 능동적 수업 참여				
	○개인차에 대응하는 학습 활동				
	○과제 해결을 위한 기초 기능 지도의 정도				
	○교수·학습 및 문제 해결 과정의 적절성				
	○교과 특성에 맞는 학습 모형의 적용 여부				
	○오류에 대한 대응성				
	○탄력적인 시간 운영				
	○교사와 학생, 학생과 학생의 상호 작용				
	○학습자료 및 기자재의 활용성				
	○수업 매체의 적절성				
	○학습자의 질문 내용 및 발표 태도				
	○교사 발문의 형식과 내용, 방법				
	○순회지도				
	○학습자의 참여성과 주의 집중력				
정 리	○수업 목표의 도달도				
	○교재(교과서 및 자료)의 활용 정도				
	○판서의 구조화 정도				
	○수준별 교육과정의 반영 정도				
	○수행평가의 실천(평가의 적절성) 정도				
	○차시 예고 및 과제 제시의 정도				
참관소감 및 반성					

본인수업평가

결재	교과지도교사	부장

20 년 월 일 요일

수업교과		단원명	
교과서	쪽 ~ 쪽	대상	학년 반

수 업 내 용 및 평 가

영역 및 단계	평가 관점	평가 상	평가 중	평가 하	반성 및 개선
교수·학습 과정안 분 석	ㅇ학습 목표의 적절성과 명료성				
	ㅇ교과 및 단원 특성에 맞는 수업 모형 적용				
	ㅇ교수·학습 내용의 재구성				
	ㅇ자료의 적절성 및 유의점의 구체성				
	ㅇ시간 운영 및 환류 계획				
	ㅇ과정안의 형식 및 활동 중심성				
도 입	ㅇ물리적 학습 환경 조성 및 정비				
	ㅇ학습동기 유발				
	ㅇ출발점 행동의 진단과 활용				
	ㅇ학습 문제의식과 목표의 명세 정도				
	ㅇ선수 학습의 파악과 본시학습 연결				
	ㅇ자료의 준비와 활용 정도				
전 개	ㅇ학생의 능동적 수업 참여유도				
	ㅇ개인차에 대응하는 학습 활동				
	ㅇ과제 해결을 위한 기초 기능 지도				
	ㅇ교수·학습 및 문제 해결 과정의 적절성				
	ㅇ교과 특성에 맞는 학습 모형의 적용 여부				
	ㅇ오류 및 돌발상황에 대한 대응				
	ㅇ탄력적인 시간 운영				
	ㅇ교사-학생, 학생-학생의 상호 작용				
	ㅇ학습자료 및 기자재의 활용성				
	ㅇ수업 매체의 적절성				
	ㅇ학습자의 질문 유도 및 응답 관리				
	ㅇ교사 발문의 형식과 내용, 방법				
	ㅇ순회지도				
	ㅇ학습자의 참여와 주의집중 관리				
정 리	ㅇ수업 목표의 도달도				
	ㅇ교재(교과서 및 자료)의 활용 정도				
	ㅇ판서의 구조화 정도				
	ㅇ수준별 교육과정의 반영				
	ㅇ수행평가의 실천(평가의 적절성)				
	ㅇ차시 예고 및 과제 제시				
소감 및 반성					

본인수업평가

결재	교과지도교사	부장

20　　년　　월　　일　　요일

수업교과		단원명	
교과서	쪽 ~ 　　쪽	대상	학년　　반

수 업 내 용　및　평 가

영역 및 단계	평가 관점	평가 상	평가 중	평가 하	반성 및 개선
교수·학습 과정안 분　석	ㅇ학습 목표의 적절성과 명료성				
	ㅇ교과 및 단원 특성에 맞는 수업 모형 적용				
	ㅇ교수·학습 내용의 재구성				
	ㅇ자료의 적절성 및 유의점의 구체성				
	ㅇ시간 운영 및 환류 계획				
	ㅇ과정안의 형식 및 활동 중심성				
도 입	ㅇ물리적 학습 환경 조성 및 정비				
	ㅇ학습동기 유발				
	ㅇ출발점 행동의 진단과 활용				
	ㅇ학습 문제의식과 목표의 명세 정도				
	ㅇ선수 학습의 파악과 본시학습 연결				
	ㅇ자료의 준비와 활용 정도				
전 개	ㅇ학생의 능동적 수업 참여유도				
	ㅇ개인차에 대응하는 학습 활동				
	ㅇ과제 해결을 위한 기초 기능 지도				
	ㅇ교수·학습 및 문제 해결 과정의 적절성				
	ㅇ교과 특성에 맞는 학습 모형의 적용 여부				
	ㅇ오류 및 돌발상황에 대한 대응				
	ㅇ탄력적인 시간 운영				
	ㅇ교사-학생, 학생-학생의 상호 작용				
	ㅇ학습자료 및 기자재의 활용성				
	ㅇ수업 매체의 적절성				
	ㅇ학습자의 질문 유도 및 응답 관리				
	ㅇ교사 발문의 형식과 내용, 방법				
	ㅇ순회지도				
	ㅇ학습자의 참여와 주의집중 관리				
정 리	ㅇ수업 목표의 도달도				
	ㅇ교재(교과서 및 자료)의 활용 정도				
	ㅇ판서의 구조화 정도				
	ㅇ수준별 교육과정의 반영				
	ㅇ수행평가의 실천(평가의 적절성)				
	ㅇ차시 예고 및 과제 제시				
소감 및 반성					

본인수업평가

결재	교과지도교사	부장

20　　년　　월　　일　　요일

수업교과		단원명	
교과서	쪽 ~ 쪽	대상	학년 반

수 업 내 용 및 평 가

영역 및 단계	평가 관점	평가 상	평가 중	평가 하	반성 및 개선
교수·학습 과정안 분석	○학습 목표의 적절성과 명료성				
	○교과 및 단원 특성에 맞는 수업 모형 적용				
	○교수·학습 내용의 재구성				
	○자료의 적절성 및 유의점의 구체성				
	○시간 운영 및 환류 계획				
	○과정안의 형식 및 활동 중심성				
도 입	○물리적 학습 환경 조성 및 정비				
	○학습동기 유발				
	○출발점 행동의 진단과 활용				
	○학습 문제의식과 목표의 명세 정도				
	○선수 학습의 파악과 본시학습 연결				
	○자료의 준비와 활용 정도				
전 개	○학생의 능동적 수업 참여유도				
	○개인차에 대응하는 학습 활동				
	○과제 해결을 위한 기초 기능 지도				
	○교수·학습 및 문제 해결 과정의 적절성				
	○교과 특성에 맞는 학습 모형의 적용 여부				
	○오류 및 돌발상황에 대한 대응				
	○탄력적인 시간 운영				
	○교사-학생, 학생-학생의 상호 작용				
	○학습자료 및 기자재의 활용성				
	○수업 매체의 적절성				
	○학습자의 질문 유도 및 응답 관리				
	○교사 발문의 형식과 내용, 방법				
	○순회지도				
	○학습자의 참여와 주의집중 관리				
정 리	○수업 목표의 도달도				
	○교재(교과서 및 자료)의 활용 정도				
	○판서의 구조화 정도				
	○수준별 교육과정의 반영				
	○수행평가의 실천(평가의 적절성)				
	○차시 예고 및 과제 제시				
소감 및 반성					

본인수업평가

결재	교과지도교사	부장

20　년　월　일　요일

수업교과		단원명	
교과서	쪽 ~ 쪽	대상	학년 반

수 업 내 용 　및 　평 가

영역 및 단계	평가 관점	평가 상	평가 중	평가 하	반성 및 개선
교수·학습 과정안 분 석	ㅇ학습 목표의 적절성과 명료성				
	ㅇ교과 및 단원 특성에 맞는 수업 모형 적용				
	ㅇ교수·학습 내용의 재구성				
	ㅇ자료의 적절성 및 유의점의 구체성				
	ㅇ시간 운영 및 환류 계획				
	ㅇ과정안의 형식 및 활동 중심성				
도 입	ㅇ물리적 학습 환경 조성 및 정비				
	ㅇ학습동기 유발				
	ㅇ출발점 행동의 진단과 활용				
	ㅇ학습 문제의식과 목표의 명세 정도				
	ㅇ선수 학습의 파악과 본시학습 연결				
	ㅇ자료의 준비와 활용 정도				
전 개	ㅇ학생의 능동적 수업 참여유도				
	ㅇ개인차에 대응하는 학습 활동				
	ㅇ과제 해결을 위한 기초 기능 지도				
	ㅇ교수·학습 및 문제 해결 과정의 적절성				
	ㅇ교과 특성에 맞는 학습 모형의 적용 여부				
	ㅇ오류 및 돌발상황에 대한 대응				
	ㅇ탄력적인 시간 운영				
	ㅇ교사-학생, 학생-학생의 상호 작용				
	ㅇ학습자료 및 기자재의 활용성				
	ㅇ수업 매체의 적절성				
	ㅇ학습자의 질문 유도 및 응답 관리				
	ㅇ교사 발문의 형식과 내용, 방법				
	ㅇ순회지도				
	ㅇ학습자의 참여와 주의집중 관리				
정 리	ㅇ수업 목표의 도달도				
	ㅇ교재(교과서 및 자료)의 활용 정도				
	ㅇ판서의 구조화 정도				
	ㅇ수준별 교육과정의 반영				
	ㅇ수행평가의 실천(평가의 적절성)				
	ㅇ차시 예고 및 과제 제시				
소감 및 반성					

본인수업평가

결재	교과지도교사	부장

20　　년　　월　　일　　요일

수업교과		단원명	
교과서	쪽 ~ 쪽	대상	학년 반

수 업 내 용 및 평 가

영역 및 단계	평가 관점	평가 상	평가 중	평가 하	반성 및 개선
교수·학습 과정안 분 석	ㅇ학습 목표의 적절성과 명료성				
	ㅇ교과 및 단원 특성에 맞는 수업 모형 적용				
	ㅇ교수·학습 내용의 재구성				
	ㅇ자료의 적절성 및 유의점의 구체성				
	ㅇ시간 운영 및 환류 계획				
	ㅇ과정안의 형식 및 활동 중심성				
도 입	ㅇ물리적 학습 환경 조성 및 정비				
	ㅇ학습동기 유발				
	ㅇ출발점 행동의 진단과 활용				
	ㅇ학습 문제의식과 목표의 명세 정도				
	ㅇ선수 학습의 파악과 본시학습 연결				
	ㅇ자료의 준비와 활용 정도				
전 개	ㅇ학생의 능동적 수업 참여유도				
	ㅇ개인차에 대응하는 학습 활동				
	ㅇ과제 해결을 위한 기초 기능 지도				
	ㅇ교수·학습 및 문제 해결 과정의 적절성				
	ㅇ교과 특성에 맞는 학습 모형의 적용 여부				
	ㅇ오류 및 돌발상황에 대한 대응				
	ㅇ탄력적인 시간 운영				
	ㅇ교사-학생, 학생-학생의 상호 작용				
	ㅇ학습자료 및 기자재의 활용성				
	ㅇ수업 매체의 적절성				
	ㅇ학습자의 질문 유도 및 응답 관리				
	ㅇ교사 발문의 형식과 내용, 방법				
	ㅇ순회지도				
	ㅇ학습자의 참여와 주의집중 관리				
정 리	ㅇ수업 목표의 도달도				
	ㅇ교재(교과서 및 자료)의 활용 정도				
	ㅇ판서의 구조화 정도				
	ㅇ수준별 교육과정의 반영				
	ㅇ수행평가의 실천(평가의 적절성)				
	ㅇ차시 예고 및 과제 제시				
소감 및 반성					

본인수업평가

결재	교과지도교사	부장

20 년 월 일 요일

수업교과		단원명	
교과서	쪽 ~ 쪽	대상	학년 반

수 업 내 용 및 평 가

영역 및 단계	평가 관점	평가 상	평가 중	평가 하	반성 및 개선
교수·학습 과정안 분 석	ㅇ학습 목표의 적절성과 명료성				
	ㅇ교과 및 단원 특성에 맞는 수업 모형 적용				
	ㅇ교수·학습 내용의 재구성				
	ㅇ자료의 적절성 및 유의점의 구체성				
	ㅇ시간 운영 및 환류 계획				
	ㅇ과정안의 형식 및 활동 중심성				
도 입	ㅇ물리적 학습 환경 조성 및 정비				
	ㅇ학습동기 유발				
	ㅇ출발점 행동의 진단과 활용				
	ㅇ학습 문제의식과 목표의 명세 정도				
	ㅇ선수 학습의 파악과 본시학습 연결				
	ㅇ자료의 준비와 활용 정도				
전 개	ㅇ학생의 능동적 수업 참여유도				
	ㅇ개인차에 대응하는 학습 활동				
	ㅇ과제 해결을 위한 기초 기능 지도				
	ㅇ교수·학습 및 문제 해결 과정의 적절성				
	ㅇ교과 특성에 맞는 학습 모형의 적용 여부				
	ㅇ오류 및 돌발상황에 대한 대응				
	ㅇ탄력적인 시간 운영				
	ㅇ교사-학생, 학생-학생의 상호 작용				
	ㅇ학습자료 및 기자재의 활용성				
	ㅇ수업 매체의 적절성				
	ㅇ학습자의 질문 유도 및 응답 관리				
	ㅇ교사 발문의 형식과 내용, 방법				
	ㅇ순회지도				
	ㅇ학습자의 참여와 주의집중 관리				
정 리	ㅇ수업 목표의 도달도				
	ㅇ교재(교과서 및 자료)의 활용 정도				
	ㅇ판서의 구조화 정도				
	ㅇ수준별 교육과정의 반영				
	ㅇ수행평가의 실천(평가의 적절성)				
	ㅇ차시 예고 및 과제 제시				
소감 및 반성					

본인수업평가

결재	교과지도교사	부장

20 년 월 일 요일

수업교과		단원명	
교과서	쪽 ~ 쪽	대상	학년 반

수 업 내 용 및 평 가

영역 및 단계	평가 관점	평가 상	평가 중	평가 하	반성 및 개선
교수·학습 과정안 분 석	ㅇ학습 목표의 적절성과 명료성				
	ㅇ교과 및 단원 특성에 맞는 수업 모형 적용				
	ㅇ교수·학습 내용의 재구성				
	ㅇ자료의 적절성 및 유의점의 구체성				
	ㅇ시간 운영 및 환류 계획				
	ㅇ과정안의 형식 및 활동 중심성				
도 입	ㅇ물리적 학습 환경 조성 및 정비				
	ㅇ학습동기 유발				
	ㅇ출발점 행동의 진단과 활용				
	ㅇ학습 문제의식과 목표의 명세 정도				
	ㅇ선수 학습의 파악과 본시학습 연결				
	ㅇ자료의 준비와 활용 정도				
전 개	ㅇ학생의 능동적 수업 참여유도				
	ㅇ개인차에 대응하는 학습 활동				
	ㅇ과제 해결을 위한 기초 기능 지도				
	ㅇ교수·학습 및 문제 해결 과정의 적절성				
	ㅇ교과 특성에 맞는 학습 모형의 적용 여부				
	ㅇ오류 및 돌발상황에 대한 대응				
	ㅇ탄력적인 시간 운영				
	ㅇ교사-학생, 학생-학생의 상호 작용				
	ㅇ학습자료 및 기자재의 활용성				
	ㅇ수업 매체의 적절성				
	ㅇ학습자의 질문 유도 및 응답 관리				
	ㅇ교사 발문의 형식과 내용, 방법				
	ㅇ순회지도				
	ㅇ학습자의 참여와 주의집중 관리				
정 리	ㅇ수업 목표의 도달도				
	ㅇ교재(교과서 및 자료)의 활용 정도				
	ㅇ판서의 구조화 정도				
	ㅇ수준별 교육과정의 반영				
	ㅇ수행평가의 실천(평가의 적절성)				
	ㅇ차시 예고 및 과제 제시				
소감 및 반성					

본인수업평가

결재	교과지도교사	부장

20 년 월 일 요일

수업교과		단원명	
교과서	쪽 ~ 쪽	대상	학년 반

수 업 내 용 및 평 가

영역 및 단계	평가 관점	평가 상	평가 중	평가 하	반성 및 개선
교수·학습 과정안 분 석	ㅇ학습 목표의 적절성과 명료성				
	ㅇ교과 및 단원 특성에 맞는 수업 모형 적용				
	ㅇ교수·학습 내용의 재구성				
	ㅇ자료의 적절성 및 유의점의 구체성				
	ㅇ시간 운영 및 환류 계획				
	ㅇ과정안의 형식 및 활동 중심성				
도 입	ㅇ물리적 학습 환경 조성 및 정비				
	ㅇ학습동기 유발				
	ㅇ출발점 행동의 진단과 활용				
	ㅇ학습 문제의식과 목표의 명세 정도				
	ㅇ선수 학습의 파악과 본시학습 연결				
	ㅇ자료의 준비와 활용 정도				
전 개	ㅇ학생의 능동적 수업 참여유도				
	ㅇ개인차에 대응하는 학습 활동				
	ㅇ과제 해결을 위한 기초 기능 지도				
	ㅇ교수·학습 및 문제 해결 과정의 적절성				
	ㅇ교과 특성에 맞는 학습 모형의 적용 여부				
	ㅇ오류 및 돌발상황에 대한 대응				
	ㅇ탄력적인 시간 운영				
	ㅇ교사-학생, 학생-학생의 상호 작용				
	ㅇ학습자료 및 기자재의 활용성				
	ㅇ수업 매체의 적절성				
	ㅇ학습자의 질문 유도 및 응답 관리				
	ㅇ교사 발문의 형식과 내용, 방법				
	ㅇ순회지도				
	ㅇ학습자의 참여와 주의집중 관리				
정 리	ㅇ수업 목표의 도달도				
	ㅇ교재(교과서 및 자료)의 활용 정도				
	ㅇ판서의 구조화 정도				
	ㅇ수준별 교육과정의 반영				
	ㅇ수행평가의 실천(평가의 적절성)				
	ㅇ차시 예고 및 과제 제시				
소감 및 반성					

본인수업평가

결재	교과지도교사	부장

20　　년　　월　　일　　요일

수업교과		단원명	
교과서	쪽 ~ 쪽	대상	학년 반

수 업 내 용 및 평 가

영역 및 단계	평가 관점	평가 상	평가 중	평가 하	반성 및 개선
교수·학습 과정안 분 석	ㅇ학습 목표의 적절성과 명료성				
	ㅇ교과 및 단원 특성에 맞는 수업 모형 적용				
	ㅇ교수·학습 내용의 재구성				
	ㅇ자료의 적절성 및 유의점의 구체성				
	ㅇ시간 운영 및 환류 계획				
	ㅇ과정안의 형식 및 활동 중심성				
도 입	ㅇ물리적 학습 환경 조성 및 정비				
	ㅇ학습동기 유발				
	ㅇ출발점 행동의 진단과 활용				
	ㅇ학습 문제의식과 목표의 명세 정도				
	ㅇ선수 학습의 파악과 본시학습 연결				
	ㅇ자료의 준비와 활용 정도				
전 개	ㅇ학생의 능동적 수업 참여유도				
	ㅇ개인차에 대응하는 학습 활동				
	ㅇ과제 해결을 위한 기초 기능 지도				
	ㅇ교수·학습 및 문제 해결 과정의 적절성				
	ㅇ교과 특성에 맞는 학습 모형의 적용 여부				
	ㅇ오류 및 돌발상황에 대한 대응				
	ㅇ탄력적인 시간 운영				
	ㅇ교사-학생, 학생-학생의 상호 작용				
	ㅇ학습자료 및 기자재의 활용성				
	ㅇ수업 매체의 적절성				
	ㅇ학습자의 질문 유도 및 응답 관리				
	ㅇ교사 발문의 형식과 내용, 방법				
	ㅇ순회지도				
	ㅇ학습자의 참여와 주의집중 관리				
정 리	ㅇ수업 목표의 도달도				
	ㅇ교재(교과서 및 자료)의 활용 정도				
	ㅇ판서의 구조화 정도				
	ㅇ수준별 교육과정의 반영				
	ㅇ수행평가의 실천(평가의 적절성)				
	ㅇ차시 예고 및 과제 제시				
소감 및 반성					

본인수업평가

결재	교과지도교사	부장

20　　년　　월　　일　　요일

수업교과		단원명	
교과서	쪽 ~ 　　쪽	대상	학년　　　반

수 업 내 용 　및 　평 가

영역 및 단계	평가 관점	평가 상	평가 중	평가 하	반성 및 개선
교수·학습 과정안 분 석	ㅇ학습 목표의 적절성과 명료성				
	ㅇ교과 및 단원 특성에 맞는 수업 모형 적용				
	ㅇ교수·학습 내용의 재구성				
	ㅇ자료의 적절성 및 유의점의 구체성				
	ㅇ시간 운영 및 환류 계획				
	ㅇ과정안의 형식 및 활동 중심성				
도 입	ㅇ물리적 학습 환경 조성 및 정비				
	ㅇ학습동기 유발				
	ㅇ출발점 행동의 진단과 활용				
	ㅇ학습 문제의식과 목표의 명세 정도				
	ㅇ선수 학습의 파악과 본시학습 연결				
	ㅇ자료의 준비와 활용 정도				
전 개	ㅇ학생의 능동적 수업 참여유도				
	ㅇ개인차에 대응하는 학습 활동				
	ㅇ과제 해결을 위한 기초 기능 지도				
	ㅇ교수·학습 및 문제 해결 과정의 적절성				
	ㅇ교과 특성에 맞는 학습 모형의 적용 여부				
	ㅇ오류 및 돌발상황에 대한 대응				
	ㅇ탄력적인 시간 운영				
	ㅇ교사-학생, 학생-학생의 상호 작용				
	ㅇ학습자료 및 기자재의 활용성				
	ㅇ수업 매체의 적절성				
	ㅇ학습자의 질문 유도 및 응답 관리				
	ㅇ교사 발문의 형식과 내용, 방법				
	ㅇ순회지도				
	ㅇ학습자의 참여와 주의집중 관리				
정 리	ㅇ수업 목표의 도달도				
	ㅇ교재(교과서 및 자료)의 활용 정도				
	ㅇ판서의 구조화 정도				
	ㅇ수준별 교육과정의 반영				
	ㅇ수행평가의 실천(평가의 적절성)				
	ㅇ차시 예고 및 과제 제시				
소감 및 반성					

본인수업평가

결재	교과지도교사	부장

20　　년　　월　　일　　요일

수업교과		단원명	
교과서	쪽 ~ 쪽	대상	학년　　반

수 업 내 용 및 평 가

영역 및 단계	평가 관점	평가 상	평가 중	평가 하	반성 및 개선
교수·학습 과정안 분석	○학습 목표의 적절성과 명료성				
	○교과 및 단원 특성에 맞는 수업 모형 적용				
	○교수·학습 내용의 재구성				
	○자료의 적절성 및 유의점의 구체성				
	○시간 운영 및 환류 계획				
	○과정안의 형식 및 활동 중심성				
도 입	○물리적 학습 환경 조성 및 정비				
	○학습동기 유발				
	○출발점 행동의 진단과 활용				
	○학습 문제의식과 목표의 명세 정도				
	○선수 학습의 파악과 본시학습 연결				
	○자료의 준비와 활용 정도				
전 개	○학생의 능동적 수업 참여유도				
	○개인차에 대응하는 학습 활동				
	○과제 해결을 위한 기초 기능 지도				
	○교수·학습 및 문제 해결 과정의 적절성				
	○교과 특성에 맞는 학습 모형의 적용 여부				
	○오류 및 돌발상황에 대한 대응				
	○탄력적인 시간 운영				
	○교사-학생, 학생-학생의 상호 작용				
	○학습자료 및 기자재의 활용성				
	○수업 매체의 적절성				
	○학습자의 질문 유도 및 응답 관리				
	○교사 발문의 형식과 내용, 방법				
	○순회지도				
	○학습자의 참여와 주의집중 관리				
정 리	○수업 목표의 도달도				
	○교재(교과서 및 자료)의 활용 정도				
	○판서의 구조화 정도				
	○수준별 교육과정의 반영				
	○수행평가의 실천(평가의 적절성)				
	○차시 예고 및 과제 제시				
소감 및 반성					

본인수업평가

결재	교과지도교사	부장

20　년　월　일　요일

수업교과		단원명	
교과서	쪽 ~ 쪽	대상	학년　반

수 업 내 용 및 평 가

영역 및 단계	평가 관점	평가 상	평가 중	평가 하	반성 및 개선
교수·학습 과정안 분 석	ㅇ학습 목표의 적절성과 명료성				
	ㅇ교과 및 단원 특성에 맞는 수업 모형 적용				
	ㅇ교수·학습 내용의 재구성				
	ㅇ자료의 적절성 및 유의점의 구체성				
	ㅇ시간 운영 및 환류 계획				
	ㅇ과정안의 형식 및 활동 중심성				
도 입	ㅇ물리적 학습 환경 조성 및 정비				
	ㅇ학습동기 유발				
	ㅇ출발점 행동의 진단과 활용				
	ㅇ학습 문제의식과 목표의 명세 정도				
	ㅇ선수 학습의 파악과 본시학습 연결				
	ㅇ자료의 준비와 활용 정도				
전 개	ㅇ학생의 능동적 수업 참여유도				
	ㅇ개인차에 대응하는 학습 활동				
	ㅇ과제 해결을 위한 기초 기능 지도				
	ㅇ교수·학습 및 문제 해결 과정의 적절성				
	ㅇ교과 특성에 맞는 학습 모형의 적용 여부				
	ㅇ오류 및 돌발상황에 대한 대응				
	ㅇ탄력적인 시간 운영				
	ㅇ교사-학생, 학생-학생의 상호 작용				
	ㅇ학습자료 및 기자재의 활용성				
	ㅇ수업 매체의 적절성				
	ㅇ학습자의 질문 유도 및 응답 관리				
	ㅇ교사 발문의 형식과 내용, 방법				
	ㅇ순회지도				
	ㅇ학습자의 참여와 주의집중 관리				
정 리	ㅇ수업 목표의 도달도				
	ㅇ교재(교과서 및 자료)의 활용 정도				
	ㅇ판서의 구조화 정도				
	ㅇ수준별 교육과정의 반영				
	ㅇ수행평가의 실천(평가의 적절성)				
	ㅇ차시 예고 및 과제 제시				
소감 및 반성					

결 재	교과지도교사	부장

[ ] 과 수업 협의록

일 시	20 년 월 일 요일	지도교사	
대 상	학년 반	지도교생	
참석자		협의장소	

협 의 내 용

[ ] 과 수업 협의록

결 재	교과지도교사	부장

일 시	20 년 월 일 요일	지도교사	
대 상	학년 반	지도교생	
참석자		협의장소	
협 의 내 용			

상담 기록지

<table>
<tr><td>학생이름</td><td colspan="3"></td><td>학년-반</td><td>-</td></tr>
<tr><td>상담주제
(O)</td><td colspan="5">학업(성적) 진로(진학) 친구(선후배) 가족(친척) 교사 이성(성)
외모 성격 정신건강 신체건강 기타 ____________</td></tr>
<tr><td>회기수</td><td></td><td>상담일시
(장소)</td><td colspan="3">월 일(요일) : - : ( )</td></tr>
<tr><td colspan="2">자발상담, 호출상담</td><td colspan="4">활용(O): 검사, 활동지, 미술매체, 게임매체, ______ 활용</td></tr>
<tr><td colspan="6">회기 상담 목표 및 계획</td></tr>
<tr><td colspan="6"></td></tr>
<tr><td colspan="6">상담 내용(상담자 반응, 개입은 괄호안에 작성)</td></tr>
<tr><td colspan="6"></td></tr>
<tr><td colspan="6">회기상담의 분석 및 평가</td></tr>
<tr><td colspan="6"></td></tr>
<tr><td colspan="6">상담자 의견과 다음 계획</td></tr>
<tr><td colspan="6"></td></tr>
</table>

상담 기록지

<table>
<tr><td>학생이름</td><td colspan="2"></td><td>학년-반</td><td>-</td></tr>
<tr><td>상담주제
(O)</td><td colspan="4">학업(성적)　진로(진학)　친구(선후배)　가족(친척)　교사　이성(성)
외모　성격　정신건강　신체건강　기타 ____________</td></tr>
<tr><td>회기수</td><td></td><td>상담일시
(장소)</td><td colspan="2">월　일(　요일)　:　-　:　(　　　　)</td></tr>
<tr><td colspan="2">자발상담, 호출상담</td><td colspan="3">활용(O):　검사, 활동지, 미술매체, 게임매체, ______ 활용</td></tr>
<tr><td colspan="5">회기 상담 목표 및 계획</td></tr>
<tr><td colspan="5"></td></tr>
<tr><td colspan="5">상담 내용(상담자 반응, 개입은 괄호안에 작성)</td></tr>
<tr><td colspan="5"></td></tr>
<tr><td colspan="5">회기상담의 분석 및 평가</td></tr>
<tr><td colspan="5"></td></tr>
<tr><td colspan="5">상담자 의견과 다음 계획</td></tr>
<tr><td colspan="5"></td></tr>
</table>

상담 기록지

<table>
<tr><td>학생이름</td><td colspan="3"></td><td>학년-반</td><td>-</td></tr>
<tr><td>상담주제
(O)</td><td colspan="5">학업(성적) 진로(진학) 친구(선후배) 가족(친척) 교사 이성(성)
외모 성격 정신건강 신체건강 기타 ____________</td></tr>
<tr><td>회기수</td><td></td><td>상담일시
(장소)</td><td colspan="3">월 일(요일) : - : ( )</td></tr>
<tr><td colspan="2">자발상담, 호출상담</td><td colspan="4">활용(O): 검사, 활동지, 미술매체, 게임매체, _______ 활용</td></tr>
<tr><td colspan="6">회기 상담 목표 및 계획</td></tr>
<tr><td colspan="6"></td></tr>
<tr><td colspan="6">상담 내용(상담자 반응, 개입은 괄호안에 작성)</td></tr>
<tr><td colspan="6"></td></tr>
<tr><td colspan="6">회기상담의 분석 및 평가</td></tr>
<tr><td colspan="6"></td></tr>
<tr><td colspan="6">상담자 의견과 다음 계획</td></tr>
<tr><td colspan="6"></td></tr>
</table>

상담 기록지

<table>
<tr><td>학생이름</td><td colspan="3"></td><td>학년-반</td><td>-</td></tr>
<tr><td>상담주제
(O)</td><td colspan="5">학업(성적) 진로(진학) 친구(선후배) 가족(친척) 교사 이성(성)
외모 성격 정신건강 신체건강 기타 ____________</td></tr>
<tr><td>회기수</td><td></td><td>상담일시
(장소)</td><td colspan="3">월 일(요일) : - : ( )</td></tr>
<tr><td colspan="2">자발상담, 호출상담</td><td colspan="4">활용(O): 검사, 활동지, 미술매체, 게임매체, ______ 활용</td></tr>
<tr><td colspan="6">회기 상담 목표 및 계획</td></tr>
<tr><td colspan="6"></td></tr>
<tr><td colspan="6">상담 내용(상담자 반응, 개입은 괄호안에 작성)</td></tr>
<tr><td colspan="6"></td></tr>
<tr><td colspan="6">회기상담의 분석 및 평가</td></tr>
<tr><td colspan="6"></td></tr>
<tr><td colspan="6">상담자 의견과 다음 계획</td></tr>
<tr><td colspan="6"></td></tr>
</table>

상담 기록지

<table>
<tr><td>학생이름</td><td colspan="2"></td><td colspan="2">학년-반</td><td>-</td></tr>
<tr><td>상담주제
(O)</td><td colspan="5">학업(성적) 진로(진학) 친구(선후배) 가족(친척) 교사 이성(성)
외모 성격 정신건강 신체건강 기타 ___________</td></tr>
<tr><td>회기수</td><td></td><td>상담일시
(장소)</td><td colspan="3">월 일(요일) : - : ( )</td></tr>
<tr><td colspan="2">자발상담, 호출상담</td><td colspan="4">활용(O): 검사, 활동지, 미술매체, 게임매체, ______ 활용</td></tr>
<tr><td colspan="6">회기 상담 목표 및 계획</td></tr>
<tr><td colspan="6"></td></tr>
<tr><td colspan="6">상담 내용(상담자 반응, 개입은 괄호안에 작성)</td></tr>
<tr><td colspan="6"></td></tr>
<tr><td colspan="6">회기상담의 분석 및 평가</td></tr>
<tr><td colspan="6"></td></tr>
<tr><td colspan="6">상담자 의견과 다음 계획</td></tr>
<tr><td colspan="6"></td></tr>
</table>

상담 기록지

<table>
<tr><td>학생이름</td><td colspan="3"></td><td>학년-반</td><td>-</td></tr>
<tr><td>상담주제
(O)</td><td colspan="5">학업(성적) 진로(진학) 친구(선후배) 가족(친척) 교사 이성(성)
외모 성격 정신건강 신체건강 기타 ____________</td></tr>
<tr><td>회기수</td><td></td><td>상담일시
(장소)</td><td colspan="3">월 일(요일) : - : ( )</td></tr>
<tr><td colspan="2">자발상담, 호출상담</td><td colspan="4">활용(O): 검사, 활동지, 미술매체, 게임매체, _______ 활용</td></tr>
<tr><td colspan="6">회기 상담 목표 및 계획</td></tr>
<tr><td colspan="6"></td></tr>
<tr><td colspan="6">상담 내용(상담자 반응, 개입은 괄호안에 작성)</td></tr>
<tr><td colspan="6"></td></tr>
<tr><td colspan="6">회기상담의 분석 및 평가</td></tr>
<tr><td colspan="6"></td></tr>
<tr><td colspan="6">상담자 의견과 다음 계획</td></tr>
<tr><td colspan="6"></td></tr>
</table>

상담 기록지

<table>
<tr><td>학생이름</td><td colspan="3"></td><td>학년-반</td><td>-</td></tr>
<tr><td>상담주제
(O)</td><td colspan="5">학업(성적) 진로(진학) 친구(선후배) 가족(친척) 교사 이성(성)
외모 성격 정신건강 신체건강 기타 ____________</td></tr>
<tr><td>회기수</td><td></td><td>상담일시
(장소)</td><td colspan="3">월 일(요일) : - : ( )</td></tr>
<tr><td colspan="2">자발상담, 호출상담</td><td colspan="4">활용(O): 검사, 활동지, 미술매체, 게임매체, _______ 활용</td></tr>
<tr><td colspan="6">회기 상담 목표 및 계획</td></tr>
<tr><td colspan="6"></td></tr>
<tr><td colspan="6">상담 내용(상담자 반응, 개입은 괄호안에 작성)</td></tr>
<tr><td colspan="6"></td></tr>
<tr><td colspan="6">회기상담의 분석 및 평가</td></tr>
<tr><td colspan="6"></td></tr>
<tr><td colspan="6">상담자 의견과 다음 계획</td></tr>
<tr><td colspan="6"></td></tr>
</table>

상담 기록지

<table>
<tr><td>학생이름</td><td colspan="2"></td><td>학년-반</td><td>-</td></tr>
<tr><td>상담주제
(O)</td><td colspan="4">학업(성적) 진로(진학) 친구(선후배) 가족(친척) 교사 이성(성)
외모 성격 정신건강 신체건강 기타 ____________</td></tr>
<tr><td>회기수</td><td></td><td>상담일시
(장소)</td><td colspan="2">월 일(요일) : - : ( )</td></tr>
<tr><td colspan="2">자발상담, 호출상담</td><td colspan="3">활용(O): 검사, 활동지, 미술매체, 게임매체, ______ 활용</td></tr>
<tr><td colspan="5">회기 상담 목표 및 계획</td></tr>
<tr><td colspan="5"></td></tr>
<tr><td colspan="5">상담 내용(상담자 반응, 개입은 괄호안에 작성)</td></tr>
<tr><td colspan="5"></td></tr>
<tr><td colspan="5">회기상담의 분석 및 평가</td></tr>
<tr><td colspan="5"></td></tr>
<tr><td colspan="5">상담자 의견과 다음 계획</td></tr>
<tr><td colspan="5"></td></tr>
</table>

상담 기록지

<table>
<tr><td>학생이름</td><td colspan="3"></td><td>학년-반</td><td>-</td></tr>
<tr><td>상담주제
(O)</td><td colspan="5">학업(성적) 진로(진학) 친구(선후배) 가족(친척) 교사 이성(성)
외모 성격 정신건강 신체건강 기타 ____________</td></tr>
<tr><td>회기수</td><td></td><td>상담일시
(장소)</td><td colspan="3">월 일(요일) : - : ( )</td></tr>
<tr><td colspan="2">자발상담, 호출상담</td><td colspan="4">활용(O): 검사, 활동지, 미술매체, 게임매체, _______ 활용</td></tr>
<tr><td colspan="6">회기 상담 목표 및 계획</td></tr>
<tr><td colspan="6"></td></tr>
<tr><td colspan="6">상담 내용(상담자 반응, 개입은 괄호안에 작성)</td></tr>
<tr><td colspan="6"></td></tr>
<tr><td colspan="6">회기상담의 분석 및 평가</td></tr>
<tr><td colspan="6"></td></tr>
<tr><td colspan="6">상담자 의견과 다음 계획</td></tr>
<tr><td colspan="6"></td></tr>
</table>

상담 기록지

<table>
<tr><td>학생이름</td><td colspan="3"></td><td>학년-반</td><td>-</td></tr>
<tr><td>상담주제
(O)</td><td colspan="5">학업(성적) 진로(진학) 친구(선후배) 가족(친척) 교사 이성(성)
외모 성격 정신건강 신체건강 기타 ____________</td></tr>
<tr><td>회기수</td><td></td><td>상담일시
(장소)</td><td colspan="3">월 일(요일) : - : ( )</td></tr>
<tr><td colspan="2">자발상담, 호출상담</td><td colspan="4">활용(O): 검사, 활동지, 미술매체, 게임매체, _______ 활용</td></tr>
<tr><td colspan="6">회기 상담 목표 및 계획</td></tr>
<tr><td colspan="6"></td></tr>
<tr><td colspan="6">상담 내용(상담자 반응, 개입은 괄호안에 작성)</td></tr>
<tr><td colspan="6"></td></tr>
<tr><td colspan="6">회기상담의 분석 및 평가</td></tr>
<tr><td colspan="6"></td></tr>
<tr><td colspan="6">상담자 의견과 다음 계획</td></tr>
<tr><td colspan="6"></td></tr>
</table>

실습학교 교육방침

1. 교훈

2. 교육방침

3. 학교 경영상의 참고사항

학 급 경 영 계 획 표

(남) 명

학년 반 (여) 명

1. 급훈

2. 학급 경영의 목표 및 방침

3. 학급의 성격

4. 학급 경영상의 참고 사항

담임학급 좌석표

학년　　　반

* 해당 학급의 배치도를 보기 쉽게 그리거나 부착하세요.

교 탁

학 급 학 생 일 람 표

번호	성 명	전 화	E-mail	성격특성	비 고
1					
2					
3					
4					
5					
6					
7					
8					
9					
10					
11					
12					
13					
14					
15					
16					
17					
18					
19					
20					
21					
22					
23					
24					
25					

학 급 학 생 일 람 표

번호	성 명	전 화	E-mail	성격특성	비 고
1					
2					
3					
4					
5					
6					
7					
8					
9					
10					
11					
12					
13					
14					
15					
16					
17					
18					
19					
20					
21					
22					
23					
24					
25					

교 우 조 사

년　　월　　일

번호	성　명	선택	피선택	비고	번호	성　명	선택	피선택	비고
1					26				
2					27				
3					28				
4					29				
5					30				
6					31				
7					32				
8					33				
9					34				
10					35				
11					36				
12					37				
13					38				
14					39				
15					40				
16					41				
17					42				
18					43				
19					44				
20					45				
21					46				
22					47				
23					48				
24					49				
25					50				

교 우 관 계 도

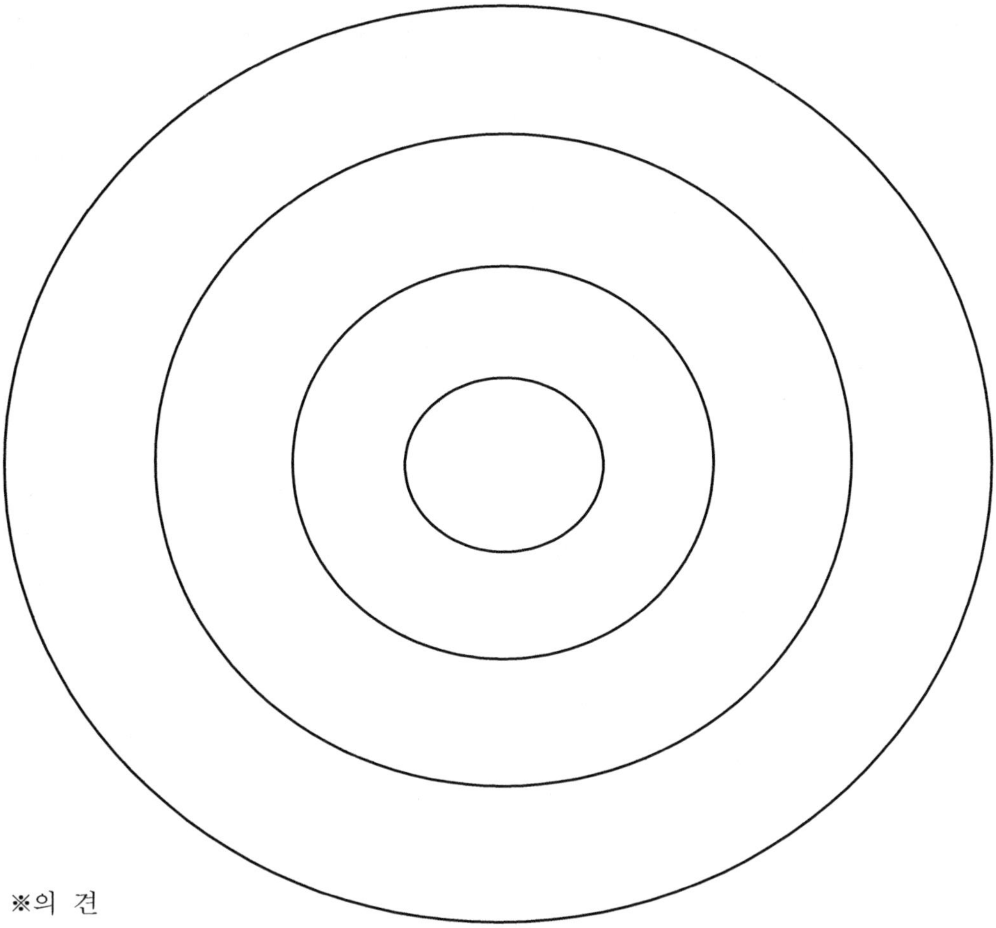

※의 견

학교현장실습 후기

[교육실습을 통해 예비교사로서 배운점, 교직관의 변화, 소감 등을 총괄 기술]
향후 학과(전공)별 실습후 평가(간담)회 발표 및 공유할 자료로 활용

교육실습 학교 부임 보고서

작성일자 : 20　　년　　월　　일

<table>
<tr><td colspan="2">교 육 실 습
협력 학교명</td><td colspan="3"></td></tr>
<tr><td colspan="2">학　　교
주　　소</td><td colspan="3">(우편번호)　　　－
(주소)</td></tr>
<tr><td rowspan="3">실　지
습　도
　　자
학　현
교　황</td><td>직 위</td><td>교　장</td><td>교　감</td><td>연구부장(교생담당자)</td></tr>
<tr><td>성 명</td><td></td><td></td><td></td></tr>
<tr><td>전 화</td><td></td><td></td><td></td></tr>
</table>

실 습 학 생 명 단

대학교	대　학	학　과	학　번	성　명	비　고

위의 학생이 교육실습을 위하여 본교에 부임하였음을 확인합니다.

실습담당교사　　　　　　　㊞

교육 실습생 활동평가

> 귀교에서 수락하여 교육실습에 임하고 있는 학생들의 교육활동 전반에 관하여 다음과 같은 내용으로 교생 개개인을 평가하여 주시기 바랍니다.

1. 교생활동 평가서 작성시의 유의점

(1) 평점등급 점수(실점) 및 평점은 다음과 같음.

(평점등급)	(점 수)	(평 점)
A⁺	95-100	4.5
A°	90-94	4.0
B⁺	85-89	3.5
B°	80-84	3.0
C⁺	75-79	2.5
C°	70-74	2.0
D⁺	65-69	1.5
D°	60-64	1.0
F	59이하	0.5

(2) 교생활동 평가표에는 평가 영역별 항목 오른 편에 평가등급(A+ Ao B+ Bo C+ Co D+ Do F)欄이 설정되어 있음.

(3) 평가영역별 평가 항목에 대한 평가 결과를 평점 등급 ○란에 ∨표함.

(4) 평가등급으로 밝힐 수 없는 특별한 사항은 "기타" 란에 기입 제시함.

2. 교생활동 평가표

(1) 교생의 출결 및 근태상황

1) 교생실습기간: 20 　　년 　　월 　　일 ~ 　　　　월 　　일(4주간)

2) 결근 (　)회, 지각 (　)회, 조퇴 (　)회

3) 교육실습 전반에 걸친 근태

(2) 교생활동평가

평가영역	평 가 항 목	평 가 등 급								
		A^+	A^0	B^+	B^0	C^+	C^0	D^+	D^0	F
1. 교직자로서의 일반적인 태도	수업지도에 대한 성의 있는 태도									
	학생들에 대한 관심과 지원적 태도									
	교직원간의 인화, 협동적인 태도									
	창의적이고 연구적인 태도									
	학생들과의 의사소통 및 대화의 태도									
2. 학습지도와 평가능력	올바른 학습 지도안 작성 능력									
	단원 목표 설정과 지도 능력									
	수업 내용에 대한 질문 처리 능력									
	수업 전개 내용에 대한 정리 평가 능력									
	학습 결과 및 학생들의 평가와 판단 능력									
3. 교수-학습 지도능력	수업 지도상의 준비 및 계획 능력									
	학습 분위기 조성 능력									
	학습동기 유발 및 자율학습 유발 능력									
	학생들의 학습 효과 신장 능력									
	여러 가지 교수 방법 적용 능력									
4. 조사, 연구 및 관찰능력	학습 현장 관찰 및 파악 능력									
	사례 연구 활동 및 결과 처리 능력									
	교과에 대한 조사·연구능력									
	학습 보조 자료 개발과 활용 능력									
	기타 조사·연구 및 관찰 능력									
5. 학급경영 및 관리능력	제반 사무 처리 능력									
	학생들을 관리 통솔하는 능력									
	교구 및 비품 관리 능력									
	학급 환경 관리 및 미화 능력									
	학급 관리 및 운영 능력									
의견 및 총평										

20　년　　　월　　　일

평가자 학교명 :
직 위 :
성 명 : ㉾

학교장

학교장 직인

3. 대학(교)의 교직과 평가표

평 가 항 목	평가기준(%)	결정성적(%)	비 고
1. 과제 수행 내용	10		
2. 사전 토의 지도 및 실연 수업의 내용	10		
3. 교육 실습을 위한 수업의 충실 정도	10		
4. 교생 실습 활동 관찰 내용	10		
5. 실습 학교에서의 평가 내용	60		

20　년　　　월　　　일

지도교수 ㉾

교육실습 결과 보고서

1. 실 습 학 교 명 :
2. 실 습 기 간 : 년 월 일부터 월 일까지 (주간)
3. 지 도 교 사 :

직 명	성 명	담당내용	비 고

4. 학 습 내 용 :

제 1 주	제 2 주	제 3 주	제 4 주

기 타 :

5. 실 습 생

학과명	성 명	근무태도 (10%)	일반자질 (15%)	학습지도능력 (50%)	연구조사활동 (15%)	학급경영 및 사무능력 (10%)	총 평 (100%)	비고

위 사실을 증명함.

20 년 월 일

실습학교 학교장 ㊞

위 사실을 확인함.

20 년 월 일

대학(교)장 ㊞

교육 실습생 개인 기록표

<table>
<tr><td>본 적</td><td colspan="6"></td><td rowspan="4">사 진</td></tr>
<tr><td>주 소</td><td colspan="6"></td></tr>
<tr><td>성 명</td><td colspan="2">(한자)</td><td>성별</td><td></td><td>종교</td><td></td></tr>
<tr><td>생년월일</td><td colspan="6">년 월 일생 ( )세</td></tr>
<tr><td>소속대학</td><td colspan="7">영남대학교 대학 과 4학년</td></tr>
<tr><td rowspan="3">학 력</td><td colspan="7">중학교 년 졸업 (년 월 일)</td></tr>
<tr><td colspan="7">고등학교 년 졸업 (년 월 일)</td></tr>
<tr><td colspan="7">대학교 대학 과 입학 (년 월 일)</td></tr>
<tr><td rowspan="2">경 력</td><td>기관명</td><td></td><td>근무년월</td><td colspan="4">년 월</td></tr>
<tr><td>기관명</td><td></td><td>근무년월</td><td colspan="4">년 월</td></tr>
<tr><td colspan="2">병 역 관 계</td><td colspan="4">필( ) 미필( ) 면제( ) ROTC( )</td><td>비고</td><td></td></tr>
<tr><td rowspan="2">연구</td><td>지금 연구하고 있는 분야</td><td colspan="6"></td></tr>
<tr><td>금후 연구하고자 하는 분야</td><td colspan="6"></td></tr>
<tr><td>취미</td><td colspan="2"></td><td>특기</td><td colspan="4"></td></tr>
<tr><td colspan="2">대학내에서의 활동부서</td><td colspan="6"></td></tr>
<tr><td>희망직업</td><td colspan="3">1.</td><td colspan="4">2.</td></tr>
<tr><td colspan="8">기 타</td></tr>
</table>

실 습 생 출 근 부

실 습 학 교	
지 도 교 사	
실 습 생 성 명	
실 습 기 간	자 : 지 : (주간)

1주	월 일 요일	월 일 요일	월 일 요일	월 일 요일	월 일 요일	월 일 요일
2주	월 일 요일	월 일 요일	월 일 요일	월 일 요일	월 일 요일	월 일 요일
3주	월 일 요일	월 일 요일	월 일 요일	월 일 요일	월 일 요일	월 일 요일
4주	월 일 요일	월 일 요일	월 일 요일	월 일 요일	월 일 요일	월 일 요일
비고						

◔ 메　모 ◕

◔ 메　모 ◕

◔ 메 모 ◕

교육실습지침

교육실습지침

지은이 박철홍·김병주·김재춘·조규락·정 은
김상섭·이윤주·허 준·이용상

펴낸곳 영남대학교출판부

펴낸이 최외출

7판 1쇄 2025년 4월 4일

출판등록 1975년 9월 5일 경산 제16-1호

주소 경북 경산시 대학로 280

전화 053)810-1802~4

FAX 053)810-4722

ISBN 978-89-7581-769-9 13370

교육실습지침

A GUIDE BOOK FOR TEACHING PRACTICUM

박철홍 김병주 김재춘 조규락 정 은 김상섭 이윤주 허 준 이용상 공저

영남대학교출판부

차례

I 교육실습과 교육실습생

1. 교육실습의 의미

교육에 있어 교사는 교육의 질을 결정하는 핵심적인 요소 가운데 하나이다. 교육이 교사, 학생, 교육내용이 함께 어우러져 일어나는 활동이며, 학생의 전인적 성장을 추구하는 활동인 만큼 교사에게는 다른 어떤 직업에서보다도 많은 자질이 요구된다. 교육내용과 교육방법에 대한 전문적인 지식과 기술, 건전한 인격과 폭넓은 교양, 교육자라는 사명감과 교육애, 인간 성장 발달에 대한 이해와 인간의 성장 가능성에 대한 신뢰 등과 같은 다양한 자질이 교사에게 요구된다. 교육실습은 대학에서 이론적으로 배운 것을 기초로 교육현장에서 실제 체험을 통하여 교사에게 요구되는 자질과 능력을 향상시키기 위한 교직교육과정의 한 부분으로 이루어지는 것이다. 다시 말해 교육실습은 교직 수업의 일부로서 실제 학교현장에서의 경험을 통해서 교직을 준비하는 교직교육의 연장선에 있는 것이다.

이처럼 교육실습에 임하는 학생은 가르치는 일을 하는 교사로서의 역할을 하면서 가르치는 일에 대하여 배우는 학생으로서의 성격을 띠고 있다는 점에서 이중적 성격을 지니게 되며, 학교에서 교사에 대하여 학생으로서 학교의 학생에 대하여서는 교사로서의 역할을 한다는 점에서 교사와 학생 사이의 중간적 존재로서 활동하게 된다. 이와 같이 교육실습생에게 교사와 학생이라는 이중적 성격을 부여하는 교육실습의 중요한 의미는 다음과 같이 크게 세 가지로 요약할 수 있다.

첫째, 교육실습은 교사의 일을 배우는 과정이다. 교육실습은 가르치는 것을 실제 연습해 보는 것이기는 하지만 가르치는 데에 중점이 있는 것이 아니라 교사로서의 일을 배우는 데에 있다. 교육실습이라는 말이 보여주듯이, 학교현장에 나가서 하는 일은 교사로서의 일을 하지만 실제로 하는 일은 교사의 일을 배우는 데에 있다. 따라서 교육실습에 임함에 있어서 교육실습생은 배우는 자로서의 자세를 가져야 한다. 교육실습생은 한 마디로 말하면 학생이다. 학생인 만큼 교육실습생은 숙련된 교사들의 지도를 받음으로써 가르치는 일과 관련된 제반 사항을 배우게 된다. 그러므로 교육실습생은 교육실습을 하면서 크게 두 가지 일을 하여야 한다. 하나는 자신에게 부족한 점이 무엇인지를 찾아내는 것이며, 또 하나는 교육실제와 이론 사이의 관계를 검토하고 앞으로 더욱더 연구하고 탐구할 사항을 발견해 내는 것이다. 교육실습생은 교육실습과정 동안 이 두 가지 일을 계속적으로 하여야 하며, 그것을 통해 교사로서의 자질과 교육적인 문제의식을 교육실습과정은 물론 교육실습과정 이후에도 지속적으로 보완하고 탐구하여 발전시켜 나가야 한다.

둘째, 교육실습은 실수나 시행착오가 허용되지 않는 교육을 실습하는 과정이다. 교육은 살아 움직이는 존엄한 인격체의 성장을 돕는 활동이므로 시행착오의 과정이 용납되지 않는다. 교사의 아주 작은 행위라도 그것은 바로 학생들의 행동과 성향에 영향을 미치기 때문에 교사는 모든 행동을 조심하여야만 한다. 이런 이유로 교육에서 실험이라는 것은 용납될 수 없다. 그러나 교사라는 자질이 선천적으로 주어지는 것이 아니기에 교사로서의 자질을 갖추기 위한 노력들이 필요하며, 그 노력의 일환으로 교육실습이라는 것도 반드시 필요하다. 이렇게 보면 교육실습은 실험이 용납되지 않는다는 교육활동에 내재된 제약과 동시에 보다 훌륭한 교사로서의 자질을 갖추기 위해서는 실습과정이 필요하다는 서로 상반된 요구를 충족하여야 하는 활동이다. 이 두 가지 상반된 요구를 충족하기 위해 일반적으로 교육실습은 참관, 참가, 실제지도라고 하는 3단계의 과정으로 이루어진다. 이러한 단계적인 과정을 통하여 교육현장에 초래할 수 있는 폐해를 최소화하면서 동시에 교직교육과정에 있는 학생들의 교육활동에 대한 학습 경험을 점진적으로 심화 확대시키고자 하는 것이다. 그러므로 교육실습생은 실제지도의 과정뿐만 아니라 참관, 참가의 과정을 비롯한 모든 실습과정에 충실하여야 하며, 언제나 말과 행동을 조심하여 교육에 가져올 수 있는 폐해는 최소화하고 실습의 의미는 최대화시킬 수 있도록 노력하여야 한다.

셋째, 교육실습은 교육현장에서 교육의 복잡하고 다양한 변화 양상들을 체험하는 현장교육이다. 오늘날 교육은 내적 외적으로 급속한 변화를 이루고 있다. 다양한 교수기법과 교육이론들이 나타나고 있으며 교육목표나 교육내용상에 있어서도 현저한 변화를 형성하고 있다. 뿐만 아니라 학생들의 발달도 이전보다 더욱 가속화되고 있는 경향을 띠고 있다. 이러한 측면을 고려하면 학생의 보다 바람직한 인격의 형성이나 학습능력의 배양 문제, 진로지도의 문제나 구체적 생활 속에서의 행위의 문제 등 여러 문제가 교육의 실제에 놓여 있게 된다. 교육실습생은 이러한 문제를 다루고 그에 상응한 효과를 올리기 위해 대학에서 이미 습득한 이론을 교육현장과 비교하고 연구할 뿐만 아니라, 그 이론들을 보다 더 확충시키며 발전시켜 가야 한다. 그러므로 교육실습생은 교육이론의 실제 현장에의 적용이라는 단순한 목적을 넘어 교육과 교육문제에 대한 보다 구체적이고 세밀한 이해를 갖도록 함으로써 교사로서의 자질을 더욱 확충할 수 있도록 노력하여야 할 것이다.

이상에서처럼 교육실습의 의미는 크게 세 가지 정도로 정리할 수 있다. 교육실습은 대학에서 배운 교육과 교사에 대한 추상적 이해를 교육현장에서 실천을 통해 학습한다는 점에서 교직교육의 최종단계이자 핵심이다. 따라서 교육실습생은 교육실습과정을 통해 무엇보다 자신의 교육에 대한 이해를 보다 완전한 것이 되도록 노력해야 하며, 훌륭한 교사가 되기 위해 자신이 더 보완하여야 할 것이 무엇인가에 계속적으로 관심을 기울여야 한다. 일반적으로 교직은 경제적, 사회적, 정치적인 이익과 같은 세속적인 이익을 추구하는 활동과는 차원이 다른 보다 완전한 인류 사회의 건설과 보다 훌륭한 인간의 양성과 같은 숭고한 목적을 추구하는 활동이다. 이러한 목적을 추구하는 자로서의 교사가 되기 위해 교육실습생은 끊임없는 자기 성장을 도모하여야 한다. 이는 교육실습이 교육실습생에게 가장 실천적이며 실제적인 교육적 경험이 일어나는 장, 즉 교육실습이 교육에 대한 진정한 이해를 갖게 되는 배움의 장이 되어야 한다는 것을 의미한다.

2. 교육실습의 목적

교육은 보다 훌륭한 인간으로의 성장을 도모하는 가장 인간적인 활동이라고 할 수 있으며, 교사는 그 활동의 핵심에 위치하는 사람이라 할 수 있다. 이는 보다 인간답게 사는 길이 무엇인가를 끊임없이 배우고자 하는 인간이 가장 인간다운 인간이며, 교사가 바로 그러한 위치에 있는 사람이어야 한다는 것을 뜻한다. 가장 잘 배우는 사람이 교사라는 것이다. 이런 맥락에서 교사를 양성하는 최종적이며 핵심적인 과정인 교육실습은 그야말로 철저하게 배움의 과정이 되어야 한다. 다른 말로 표현하자면 교육실습생은 교사라기보다 학생이라는 점에 보다 강조점이 두어져야 한다는 것이다. 그럴 때 교육실습생은 교육실습과정을 통하여 교사로서 갖추어야 할 요건들을 갖추도록 하는 교육실습의 목적들을 달성할 수 있게 된다. 여기에서는 교육실습생이 교육실습과정을 통해 달성하여야 할 구체적인 교육실습의 목적을 크게 다섯 가지로 제시한다.

첫째, 교육실습은 대학에서 배운 모든 이론들을 종합적으로 적용해 보고 검토하며 공고히 하는 체험교육의 장이다. 교육실습은 교육실습생이 대학에서 배우고 익힌 전공과목과 교직과목 그리고 일반교양과목의 내용들이 구체적으로 적용되고 실천되도록 하는 데에 일차적인 목적이 있다. 교원을 양성하기 위해 설립된 각 교육기관에서 이루어지는 교직교육은 대체로 분리된 교과를 통하여 습득되기 쉽도록 구성되어 있으며, 교육활동을 구성하는 내용과 방법에 대한 추상적 이론을 중심으로 형성되어 있다. 그래서 그 이론들이 아무리 체계적으로 조직되어 있고 엄밀하게 가르쳐진다 하더라도 그것은 교육실제에서 경험을 통해 체득되기 전에는 아직 완전한 것이 되지 못한다. 따라서 대학에서 배우고 익힌 지식과 기술을 보다 완전한 것이 될 수 있도록 하기 위해서는 그 이론들을 교육활동 전체 속에서 적용하고 실천하는 경험과정이 필요하다. 이와 같이 교육실습은 일차적으로 교육현장에서의 체험을 통하여 교직교육과정에서 습득한 이론들을 적용하고, 나아가 교육실제에서 경험하여 교육실습생 자신의 것이 되도록 만드는 것을 하나의 중요한 목적으로 하고 있다.

둘째, 교육실습은 교육활동이 일어나는 생생한 교육현장에 대한 사전 경험과 폭넓은 이해를 목적으로 한다. 교육현장에서는 교수-학습활동에 있어서나 교수-학습활동 이외의 측면에 있어서 교직교육을 통해 배우지 못한 예상치 않은 일들이 발생하게 된다. 학교현장은 구분된 교과를 배우는 것과는 달리 역동적인 활동이 일어나는 곳이다. 그러므로 교육현장은 이론적으로 배울 때와는 전혀 다른 예상치 못했던 일들이 끊임없이 일어나고 있다고 할 것이다. 또한 교수-학습활동에 있어서 교사양성을 위한 대학 내의 교직과정은 전공교과의 이론적 지식과 교직과목에서 다루는 교육학 이론의 학습이기 때문에 실제현장에서의 구체적 상황에 담긴 생동감을 갖는 데에는 한계가 있다. 뿐만 아니라 교육현장에서는 교육이론에 일치하지 않는 예외적인 경우나 사건이 비일비재하게 일어난다. 교육실습은 실제 교육현장에서 교육실습생들로 하여금 교육활동에 대한 보다 생생한 경험을 하도록 함으로써 교직과정을 통하여 습득한 이론에 생명력을 불어넣고, 예기치 못한 교육상황에 적절하게 대처할 수 있는 능력을 길러준다. 이런 점에서 교육실습은 대학의 교직과정을 통하여 형성하기 어려운 다양한 교육활동에서의 경험을 풍부하게 체득함으로써 교육현장에 대한 이해의 수준을 높이고 교수기술을 보다 세련되게 하는 목적을 가진다.

셋째, 교육실습은 교육자로서 갖추어야 할 인생관의 기초를 수립하는 것을 목적으로 한다. 교사에게는 학생들을 바람직한 방향으로 이끌기 위해서 어떤 고난도 감수하겠다고 하는 투철한 교육에 대한 사명감과 교육에 대한 신뢰를 바탕으로 하는 교육애가 요구된다. 이러한 교육에 대한 사명감과 교육애는 진정한 의미의 교사로서의 삶을 살도록 하는 원동력이 되는 것이다. 교육실습은 이와같은 교육에 대한 사명감과 교육애를 수립하는 최초의 장이라고 할 수 있다. 교육실습을 통하여 교사로서 학생과 처음으로 대하는 교육실습생에게 수업상황은 놀랍고 신선한 충격일 수 있다. 학교현장에서 당면하는 구체적인 교육상황 속에서 교육실습생들은 자신을 바라보는 기대에 찬 학생들의 눈망울로부터 일종의 전율과도 같은 감동을 맛볼 기회를 가지게 된다. 교육현장에서 학생들과의 대면으로부터 갖게 되는 감동은 교육실습생들에게 대학의 어떤 명강사로부터 전해듣는 교직에 대한 강의보다도 더 생생하게 살아있는 교직에 대한 열망과 애정을 갖도록 하는 것이다. 이렇게 살아 약동하는 교육적 열정이 교육실습을 통해 형성될 때 교육실습생은 다른 어떤 세속적 이익 때문이 아니라 학생들이 보다 바람직하고 훌륭한 삶을 살도록 하겠다는 가장 순수하고도 숭고한 목적을 위해 자신의 전체를 투여하는 교육자로서의 삶을 사는 기반을 형성하게 된다. 교육실습은 교육실습생들에게 이와 같은 교육에 대한 사명감과 교육애를 체험하는 기회의 장이며, 그것이 교사로서의 삶을 살 수 있도록 하는 원동력이 될 수 있도록 만드는 과정이다. 따라서 교육실습은 교육현장에서의 실제적인 다양한 접촉을 통하여 이러한 교육자로서 갖추어야 할 교육적인 인생관을 교육실습생들이 체득하도록 하는 것을 하나의 목적으로 한다.

넷째, 교육실습은 교사로서의 품성과 인격을 배양하는 것을 목적으로 한다. 교사는 교육이라는 활동의 성격에 의해 다른 어떤 직업보다 더 건전하고 바람직한 품성과 인격을 요구받는다. 교육은 사회 구성원 개인의 성장과 사회 발전의 원동력이 되며 교사는 바로 그와 같은 교육활동에 종사하는 사람이다. 특히 교사는 교육의 질을 결정하는 가장 중요한 요소 가운데 하나이며 학생의 교육적 성장에 가장 직접적으로 그리고 가장 강력하게 영향을 미치는 환경이다. 교사는 학생의 도덕적, 윤리적 성장을 비롯하여 지적, 정서적 성장에 이르기까지 발달과정에 있는 학생의 총체적이고 전체적인 성장에 매우 강력한 영향력을 갖는다. 따라서 교사의 품성과 인격은 다른 어떤 직종에서 요구되는 품성과 인격보다 더 건전하고 바람직한 것이어야 한다. 교육실습은 교사에게 요구되는 이와 같은 품성과 인격을 구체적인 교육현장에서의 실제적인 경험을 통하여 배양하고 형성하는 과정이다. 그러므로 교육실습은 전공과 교양 그리고 교직과목과 대학생활 등을 통하여 형성과정에 있는 다양한 교사의 자질과 품성을 지도교사의 지도와 자기 스스로의 평가를 통하여 점검하고 부족한 부분을 반성함으로써 한층 훌륭한 교사로서의 품성과 인격을 배양하는 것을 목적으로 한다.

다섯째, 교육자로서의 자신의 자질에 대한 평가와 반성의 기회를 제공하는 것을 그 목적으로 한다. 교육실습은 수동적인 입장에서 단순히 이론을 습득하는 것이 아니고 능동적으로 전개되는 교육활동이다. 그러므로 교육실습은 자기 스스로가 한 사람의 바람직한 교사로서 지녀야 할 교육적 지식과 기술 그리고 자질 등을 충분히 갖추고 있는가의 여부에 관한 자기 평가의 기회이자 자기 반성의 기회가 된다. 다시 말해 교육실습은 전문직으로서의 교직이 자기 자신에게 맞는 것인가 안 맞는 것인가를 판가름하고, 보다 훌륭한 교사가 되기 위해 갖추어야 할 것이 무엇인가를 반성하는 기회를 제공함으로써 교육실습생 스스로 교사로서의 자질을 충분히 갖추기 위해 노력하도록 하는 데에 그 목적이 있다.

이상과 같은 목적은 교육실습의 실제적이고 구체적인 목적이라고 할 수 있다. 이러한 구체적 목적을 달성하기 위해서는 교육실습 프로그램 속에 다음과 같은 사항들이 포함되어 있어야 한다. ① 학생의 발달과 심리 및 학교 생활의 실태 파악과 이해, ② 학습지도의 연구 및 실천, ③ 생활지도와 학급 경영의 연구 및 실천, ④ 특별 활동의 연구 및 실천, ⑤ 학급, 학교의 사무, 지역사회 등의 연구 및 실천, ⑥ 교사로서의 근무와 연구 활동의 실천 등이다. 요약하자면 교육실습은 형식적인 면으로 보면 교원의 자격을 획득하기 위해 이수하여야 할 필수과정이라고 할 수 있지만, 내적으로 본다면 교육실습생이 교사로서 갖추어야 할 능력과 품성, 그리고 인격과 자질을 갖도록 하는 것을 목적으로 한다고 간단히 말할 수 있다.

3. 교육현장에서 교사의 활동

교육현장에서 교사의 활동은 담임교사로서의 학급경영과 생활지도, 교과담당자로서의 교육활동, 교육행정관련자로서의 학교경영, 교과 외 특별활동 지도자로서의 활동으로 나누어 살펴볼 수 있다.

1) 담임교사로서의 학급경영과 생활지도

학급이란 교과학습 및 학교생활을 효율적으로 수행하기 위한 조직단위로서, 교육제도상 학교 조직을 성립시키는 가장 기본적인 집단단위이다. 그리고 이러한 기본적인 조직단위를 이끄는 사람이 담임교사이다. 담임교사는 학급경영자로서 자신이 담당하는 교과교육활동 이외에 자신이 맡은 학급 집단내의 모든 지도활동을 수행해야 한다. 이를 위해 담임교사는 학급의 기본방침 및 실천목표를 설정하고, 학급의 인적 구성원을 조직하고 관리하며, 학급 전체의 물리적 환경을 정비하고 관리 개선한다. 또한 담임교사는 학급에 관한 일체의 기록과 서류를 정비 관리하고, 학급의 각종 교육계획을 작성하고 정비한다. 더 나아가 전체 학급경영활동의 평가와 반성을 수행한다.

한편, 담임교사는 학급내 학생 개인 및 소규모 집단에 대한 생활지도를 수행한다. 생활지도란 학급의 학생들이 당면하고 있는 여러 가지 적응문제를 과학적으로 분석하고 적절한 해결방법을 모색하는 계획적인 활동을 말한다. 이를 위해 교사는 개인을 대상으로 하는 개인상담이나 7~8명 이내의 학생들을 대상으로 하는 집단지도 및 집단상담을 실시할 수 있다. 개인상담에서 다루는 개별학생의 문제로는 지적 능력의 문제, 성격 이상, 교우관계, 가정환경 등에서 파생되는 문제를 들 수 있다. 집단지도 및 집단상담은 심각한 문제보다는 대체로 가벼운 문제나 주제를 다루는 것으로 학생들의 건전한 사고와 발전 의지를 이끌어내는 활동이다. 집단지도 및 집단상담에 있어 담임교사의 역할은 명랑한 분위기 속에서 집단구성원들간의 건전한 대화를 이끄는 것이다.

2) 교과담당자로서의 교육활동

교과담당자로서의 교사는 담당 교과목에 대한 전체적인 교육계획을 수립해야 한다. 전체적인 교육계획의 일환으로 단위학습에 대한 수업계획을 수립하고 실천한다. 이때 교사는 동일 학년의 다른 과목과 자신의 수업에서 다룰 교육내용간의 연계성을 이해함으로써 교수활동상의 수월성을 추구해야 한다. 또한 담당 교과목에 있어 중요한 개념이나 원리에 대한 반복적인 제시를 통해 누적적인 효과를 얻을 수 있도록 교수활동을 계획하고 실천해야 한다. 담당 교과목의 교수활동을 통해 학습자의 성장을 도모하기 위해서는 이전의 교육내용과 이후의 교육내용간의 관련성을 중시해야 한다. 이를 위해 특정 교과목의 내용상의 특징을 명확히 의식해야 하며 학습자의 다양한 발달단계를 고려한 교육활동을 실시해야 한다.

또한 교과담당자로서의 교사는 수업상황에서 일상생활 속에서 나타나는 현상과 상식들을 해당 교과목의 관점에서 충분히 활용할 수 있어야 한다. 이를 위해 담당 교과목에 대한 보다 넓고 깊이 있는 이해를 추구함으로써 계속적인 수업 개선방법을 모색해야 한다. 그리고 수업상황에서 교육내용을 매개로 학습자와 융통성 있는 상호작용을 시도하고, 수업의 효율성을 위해 다양한 수업매체에 대한 활용계획을 수립해야 한다.

3) 학교경영자로서의 활동

학교경영은 학교 본래의 교육적 기능이 원활히 수행될 수 있도록 학교안에서의 여러 인적 · 물적 조건을 마련하고 조정하고 평가하는 일련의 과정 또는 활동을 말한다. 따라서 학교경영에 다양한 방식으로 참여하는 교사는 기본적으로 학교의 교육이념과 교육목적 및 학교장의 교육관을 숙지할 필요가 있다. 또한 학교의 연간, 월간, 주간 계획을 파악하고 자신이 맡은 행정업무를 원활히 수행해야 한다. 교무위원회나 학교의 일반행정가들과의 계속적인 상호작용을 시도하고 교류를 지속해야 한다. 이를 통해 학교경영의 수월성을 추구할 수 있어야 한다. 또한 학교경영자로서의 교사는 활용 가능한 인적 자원에 대한 정보를 숙지하고 교육계획의 수립과정과 실천과정에 반영해야 한다. 그리고 교육계획의 수립과 실천과정에서 학교의 제반시설과 환경을 파악하고 학교경영에 효과적으로 활용할 수 있도록 해야 한다.

4) 특별활동 지도자로서의 활동

특별활동은 교과 및 재량활동을 제외한 모든 교육활동을 말한다. 특별활동 지도자로서 교사는 학생들의 소질계발과 바람직한 인성의 함양, 나아가 자아실현에 관심을 기울여야 한다. 특별활동은 자치활동, 적응활동, 계발활동, 봉사활동, 행사활동 등으로 구분되어 실시된다. 그리고 특별활동의 성공적인 운영을 위해서는 체계적인 교육계획의 수립과 실천, 그리고 행정 및 재정적 차원의 지원이 요구된다. 그러나 실제로 특별활동이 실시되는 과정에서 가장 중요한 것은 담당 교사의 적극성과 학생들의 참여이다. 따라서 교사는 학생들의 개성과 관심사를 관찰함으로써 적절한 특별활동에 참여할 수 있도록 학생들을 지도해야 한다. 그리고 교사는 자신이 맡은 활동영역에 있어 계속적인 탐구를 해야 한다. 교사의 특별활동은 자신의 담당교과와 내용상의 관련이 있는 것일 수도 있고 교과외의 또 다른 관심영역과 관련된 것일 수도 있다. 따라서 교사는 각각의 경우에 있어 특별활동을 위한 적절한 연구와 개발이 필요하며, 학생과의 상호작용 방식에 대한 고려가 요청된다.

4. 훌륭한 교육실습생

어떤 대학생이 훌륭한 "교육실습생(이하 교생)"인가? 이 질문에 대해 지도교수, 지도교사, 교육실습생, 교육행정가, 학생들의 대답이 서로 다를 수 있다. 그러나 훌륭한 교생, 훌륭한 교사는 같은 맥락에서 이해될 것이다. 예비 교사로서의 교생은 오랜 교육 경험을 가진 훌륭한 교사들과는 비교할 수 없지만 다음과 같은 몇 가지 자질을 갖추어야 할 것이다. 여기서 제시하는 기준들은 민주사회에서의 훌륭한 교사와 교생에게 적용되는 것이다.

1) 지적 탁월성

다른 모든 전문직처럼 교직도 높은 수준의 지적 탁월성을 요구한다. 이것은 가르치는 교과목에 대해 정통하다는 것만을 의미하지 않는다. 그것을 넘어서서 인간과 사물에 대해 지식의 진보를 인식하고 분석과 종합의 능력과 기술을 갖는 것을 의미한다. 왜냐하면 교사 자신이 이러한 능력을 갖추지 않고는 학생들에게서 이 능력을 발달시킬 수 없을 것이기 때문이다. 지적 탁월성 안에는 합리적 사고와 비관적 사고가 포함되어 있다. 지적 탁월성은 단순한 영리함과는 다르다. 영리함은 술책, 교지, 교묘, 교활과 밀접한 관련을 가지고 있지만, 지적 탁월성은 도덕적 탁월성과도 친근하다.

교생과 현직 교사들이 지적 탁월성을 갖지 못한다면 그는 매사에 자신감을 잃고 노예의 삶을 살거나 간계를 부려 처세하고자 할 것이다. 이러한 현직 교사들을 우리는 도처에서 발견하게 된다. 훌륭한 교생은 지적 탁월성을 가져야 하는데 지적 탁월성은 교양 이외 세 가지의 영역을 포함한다.

(1) 전공과목

훌륭한 교생이 되려면 자신이 가르치는 교과목의 본질과 전문적 적합성에 관심을 가져야 한다. 교생들은 대학에서 전공한 과목의 지식과 중등학교의 교과서에 담긴 지식의 수준이 너무나 다르기 때문에 더 연구하지 않고도 훌륭하게 가르칠 수 있다고 속단하기 쉽다. 만약에 교생과 현직교사들이 이런 생각을 했다면 적어도 두 가지 점에서 그릇된 생각을 하고 있다고 할 수 있다.

첫째, 중등학교 교사는 누구나 평생동안 중등학교 교사로 머무르는 것이 아니다. 이것은 의무도 책임도 아니다. 중등교사는 스스로 지적 성장과 관심에 따라 상급교육기관의 교사로 갈 수 있다. 중등 학교를 자기 성장을 위한 단순한 장소로 간주하라는 것은 아니다. 교과목의 지적 진보를 추적하고 연구하는 교사는 매우 자연스럽게 전문적인 연구자의 길로 들어설 수 있다는 말이다. 국내외의 저명한 연구자들 중에는 이러한 경로를 밟은 사람들이 많다.

둘째, 탐구를 중단한 교사는 지적 호기심의 결여로 인해 교수활동 자체가 신나는 일로 생각되지 않는다. 그러한 교사는 교수를 부담으로 생각하고 교직을 생계유지의 수단으로 생각할 뿐만 아니라 보수를 많이 주는 직업이 있으면 쉽사리 바꿀 것이다.

지적 탁월성은 장기간의 수고와 노력으로 이루어진다. 따라서 교생에게서 기대하는 지적 탁월성이란 어디까지나 정도의 문제이다.

(2) 교육 이론

대부분의 교생과 교사들에게 있어서 교육학의 이론과 실제는 직업교육으로 간주된다. 이것은 교직을 성공적으로 수행하는데 필수적인 교육으로 생각되고 있다. 교생과 교사들이 교육이론에 대해 관심을 갖고 대학에서 이 과목을 가르치는 이유는 무엇인가? 렌쇼(Peter Renshaw)는 이렇게 지적한다.

교육이론의 목적은 실제적인 교육문제들의 해결을 안내하는 원칙들의 형성에 공헌하는 지식분야에 학생들을 입문시키는 데 있다.[1)]

교생들은 교육 실습에 임하기 전에 교육이론에 대해 어느 정도 입문되었다고 할 수 있다. 교육이론의 본질과 성격에 대해서는 교육 철학자와 교육 이론가들에게도 논쟁이 되고 있다. 교육 이론이 단일한 자율적인 학문인가 아니면 여러 학문이 결합되어 있는가하는 문제가 제기되고 있으며, 교육이론 자체가 과학 이론의 기준을 충족시킬 수 있는가에 대해서도 회의가 일어나고 있다. 교육 이론은 여러 개별과학과 철학에 의해 구성되어 있다고 할 수 있다. 사회학과 심리학에 의해 도움을 받고 있다. 교육학의 이론을 이해한다는 것은 종합과학으로서의 교육학을 이해한다는 것을 의미한다. 훌륭한 교생은 교육이론의 한 부분을 이해하는 데서 만족하지 않고 교육의 일반이론을 이해하는 데까지 나아가는 사람이다.

2) 도덕적 탁월성

훌륭한 교사와 훌륭한 교생은 도덕적 탁월성을 갖추어야 한다. 많은 학부모와 학생들이 가장 아쉬워하는 교사의 특성이 바로 이것이다. 교사들은 도덕적 자율성을 소유하기를 기대하고 있는 것이다. 상벌에 지배되는 타율성, 사회적 칭찬과 비난에 지배되는 사회규율이 아니라 도덕적 탁월성에 의해 행동하는 교사를 기대하고 있는 것이다. 어떤 교사들은 이것을 불평하기도 한다. 왜냐하면, 사람들은 몇몇 전문직을 제외하고는 상호성의 원리에 의해 행동하는 것만을 기대하기 때문이다.

---

1) Peter Renshaw, "The Objectives and Structure of the College Curriculum", in J.W. Tibble(ed.), *The Future of Teacher Education* (London: R.K.P., 1971), p.60.

인간존재로서의 교생은 학교 내외에서 많은 도덕적 상황에 직면한다. 다른 직업보다는 덜하지만 세속적인 유혹이 언제나 가까이 있다. 공평과 공정의 원리와 편애의 감정이 언제나 함께 있으며 부와 명예, 진급과 승진의 유혹이 가까이 있다. 부와 명예, 승진 등은 그 자체가 악은 아니지만 이것을 획득하는 데는 어느 사회나 정차와 원리가 있다. 개개의 사회가 가진 정차와 원리가 모두 정당한 것은 아니지만 사악한 것이 명백하게 판명되더라도 이것을 고치는 절차와 원리를 지키지 않으면 안된다. 이 원리를 어기면 혼돈이 온다.

도덕적 인간이 된다는 것은 도덕적 자율성을 획득한 사람을 의미하기 때문에 교생은 자율성의 개념, 내용 등에 대해 이해하고 있어야 한다. 이것은 도덕철학, 도덕발달, 도덕교육에 관한 지식을 요구한다. 학생들은 모방, 암시, 동일시 등에 의해 부모와 교사를 닮기 때문에 교생의 언어, 행동, 판단이 모두 학생들에게 영향을 미친다. 교생은 도덕적 원리에 대한 지식뿐만 아니라 그가 가르치는 학생들과 함께 도덕적 상황을 분석하고 원칙의 선택을 통하여 행동으로 옮겨야 한다. 아리스토텔레스와 듀이가 습관의 중요성을 강조한 것은 도덕적 탁월성의 획득이 습관과 밀접한 관계를 가지고 있기 때문이다. 그래서 우리들이 사소한 것에 습관화됨으로써 보다 크고 중요한 일에 정력과 시간을 할애할 수 있다.[2)]

교사와 성직자는 일반인들부터 높은 기대수준을 받기 때문에 이들의 도덕적 부패는 기대수준 만큼 사회적 비난을 받게 된다. 교사가 사악한 집단에 헌신하고 부정에 관여할 때, 그리고 교사의 언행이 일치하지 않을 때, 학생들은 그 누구보다도 크게 충격을 받는다. 교직이 정치적으로 중립을 보장받도록 되어 있는 것도 외적 압력과 위협의 영향을 받지 않고 학생들 앞에서 정직하고 의연한 자세를 보이도록 하려는데 그 목적을 두고 있다. 교사는 자신의 양심에 따라 일차적으로 살아가야 한다. 양심은 생득적인 것이 아니라 환경과의 상호작용을 통하여 회득되는 것이기 때문에 두 개의 양심이 충돌할 수 있다. 이 충돌은 합리성과 관용의 정신에 입각하여 해결되거나 완화될 수 있다. 이에 비해 사람들이 자신의 양심에 위배되는 행동을 자의적으로 감행한다면 충돌을 해결할 수 없게 된다.

양심에 따라 행동을 해도 때로는 나쁜 결과를 가져올 수 있다. 이럴 때 행위자는 상

2) Norman J. Bull, *Moral Education* (London: P.K.P., 1969), p.126.

황을 다시 검토하거나 양심의 성장을 위해 자기비판을 할 것이다. 도덕적인 탁월성은 끊임없는 자기비판 과정의 산물이라고 생각된다.

교직은 다른 많은 직업들 보다도 도덕적 탁월성에로 가기가 비교적 용이한 직업이다. 세속적 유혹이 적을 뿐만 아니라 독서와 사색 자체가 그 직무의 대부분을 차지하기 때문이다.

3) 교수 경험과 기술

지적 탁월성과 도덕적 탁월성을 갖추었다고 해서 훌륭한 교사가 되는 것이 아니다. 이들 외에 교수방법과 기술에 대한 지식과 실제적 경험이 필요하다. 교수원리를 이해하는 것이 교수실제보다 선행되어야 한다.

교수원리도 교육이론에 포함되기 때문에 학문적 연구과정을 통하여 습득할 수 있다. 교수경험과 기술은 훌륭한 교사와 함께 있음으로써 그의 교수방법을 모방하고 비판적 조언을 얻어야 한다. 교생이 실제로 교수에 관심을 가지고 있다면 교수상황은 다르지만 대학교수들 가운데 성공적인 교수활동을 전개하는 교수에게서 그의 기술을 배울 것이다. 최근에 교수이론의 발달로 이 방면에 대한 지식의 획득이 용이해졌다. 이 지식들은 훌륭한 교사가 되는 데 거의 필수적이지만 이 지식을 실제로 응용하는 실제적 경험이 중요하다. 교육실습은 이러한 교육이론을 검증해보는 계기가 되기도 한다.

훌륭한 교생은 실제적 교수경험에 대해 호기심을 가지고 있는 사람이다. 그는 기성교사처럼 교수할 수 없기 때문에 현직 교사와 교수들도 그것을 기대하지 않는다. 다만 교수이론을 검증하고자 하고 현직교사의 경험을 관찰과 실행을 통하여 자기 것으로 만들려는 정열을 기대하며, 그런 정열을 가진 교생을 좋은 교생이라고 부른다.

5. 교육실습생의 임무와 역할

교육 실습에 임하는 기본 자세로서 바람직한 몇 가지 사항을 적으면 다음과 같다.

① 교육실습 전기간을 통하여 교생의 신분을 잊어서는 안된다.

"교생"이란 말은 "가르치는 학생", "가르치면서 배우는 학생", "교사이면서 학생"

이라는 의미를 가지고 있다. 학생들에 대하여는 엄연한 교사이기 때문에 학생들에 대한 영향을 고려하여 용의, 언행에 시범이 되도록 노력하는 한편, 해당 학교의 교직원에 대해서는 대학에서의 교수님께와 똑같이 예의를 갖춘 겸허한 태도로 배움에 임해야 한다.

② 교육 실습 기간 중에는 교육 실습에만 정성을 기울이고, 다른 일에서는 손을 때도록 해야한다. 학생들도 학업 이외의 다른 일들로 바쁠수가 있다. 그러나 실습 기간만은 오직 실습에만 전념하고 총력을 기울여야 한다.

③ 학구적이고 연구적인 태도로 교육 실습에 임해야 한다.

흔히 "가르치는 것이 배우는 것"이라고 한다. 그러나 교단에 서 보면 준비없이 가르치는 것이 얼마나 잘못된 것인지를 깨닫게 될 것이다. 따라서 실습의 전 기간에 걸쳐서, 대학 구내에 있을 때보다 더 학구적인 태도를 견지해야 한다.

④ 철저한 수업의 준비를 해야 한다.

수업준비에서 무엇보다 중요한 것이 교재 연구이다. 교재 연구를 위하여 어느 정도의 시간을 써야 할 지는 담당 학년에 따라서 다르겠지만, 연구한 교재 분야에서는 어떤 질문도 처리할 수 있다는 자신감이 생길 때까지 교재 연구를 해야 한다. 설혹 10정도의 교재 연구를 하였지만 실지 수업에서는 3정도밖에 이용되지 않는다 하더라도 교재 연구는 철저히 해야 한다. 교사가 자신감을 가지고 교단에 선 경우와 그렇지 않은 경우 학생에게 주는 영향이 크게 다르다는 것을 명심해야 한다. 1시간의 수업을 위하여 3시간 교재 연구를 하는 경우와 10시간 하는 경우, 수업 효과면에서 판이하게 달라짐을 알아야 한다.

⑤ 나의 교육실습이 학생들과 실습교에 어떤 도움을 주고 있는 지를 생각하고 살피도록 해야한다. 흔히 교생이 다녀가면 실습교는 얼마동안 학생들의 교육을 정상 궤도에 올려놓기 위하여 특별한 노력을 해야 한다고 한다. 또한 고등학교에서는 교생들에게 수업을 맡기는 일을 불안하게 생각하는 수가 있다. 교육 실습은 실습 당사자, 실습교 및 학생들 3자에게 모두 도움이 될 때 비로소 그 효과를 올릴 수 있다. 따라서 교생으로 인하여 학교 및 학생에게 조금이라도 손해가 되는 일이 없도록 각별히 노력해야 한다.

⑥ 학생들을 애정으로 대하고 그들을 이해하기 위한 노력을 해야 한다.

동서고금을 막론하고 교육의 핵심은 학생에 대한 교사의 애정에 있다. 학생을 친동생 같이 사랑하는 마음씨를 지녀야 한다. 이를 위하여 무엇보다 먼저 학생들의 이름을 모두 외우도록 해야 한다.

⑦ 존경받는 교사상이 되도록 노력해야 한다.
존경받는 교사는 학교 급별에 따라서 다르나 대체로 다음과 같은 교사이다.
· 학생 개개인에 대하여 깊은 관심을 가지고 이해하며 사랑한 교사
· 실력있는 교사
· 명랑한 태도와 소박하고 단정한 복장을 한 교사
· 여유가 있고 유머를 이해하는 교사
· 행동에 일관성이 있는 교사
· 교재 준비를 잘 해 오는 교사
· 학생들과 같이 놀아주는 교사

많은 사람들이 교생의 교육실습을 돕기 위하여 그들의 귀중한 시간과 노력을 할애하고 있다. 이에 보답하는 길은 자신들에게 주어진 임무를 자각하고 책임을 완수하며 그들의 기대와 관심에 보답하는 길이다. 또한 교생이 실습하러 가는 학교는 수많은 학생들의 복리를 최대의 목표로 삼고 지도하고 있는 곳이다. 그러므로 교생은 자기에게 맡겨진 모든 임무를 충실히 이행함으로써만 실습학교의 교육 목표에도 어긋나지 않는다는 사실을 명심해야 한다.

1) 실습교에 대한 책임

① 학교의 모든 교직원, 특히 지도 교사와의 원만한 대인관계를 유지하여야 한다.
② 대인 관계에 있어서 민감성을 발휘하여 바른 태도를 취하여야 한다.
③ 이러한 민감성은 교사의 실습 행동에 지침이 된다.
④ 윤리적 기준을 지켜야 한다.
㉠ 자기가 소속된 학교에 충성해야 한다.
㉡ 자기를 맡은 지도 교사의 의견을 존중하여야 한다.
㉢ 아무리 작은 일이라도 자기가 맡은 일에는 충실한다.

㉣ 자기가 맡은 학생에게 일어나는 모든 일을 지도 교사와 논의하며, 결코 학부모와 직접 접촉하지 않는다.

2) 지도 교사에 대한 책임

① 문제가 일어나면 솔직히 지도 교사에게 말하여 해결책을 찾아야 한다.
② 의사 소통의 절차와 계통을 지켜야 한다.
③ 필요없는 불평을 삼가야 한다.
④ 학급에서 맡은 연구의 대상이 되는 학생에 관한 모든 사항은 절대로 비밀을 지켜야 한다.
⑤ 성실한 교생으로 인정받아야 한다.
⑥ 말과 글을 쓰는 데 있어 용어 사용에 주의하여야 한다.
⑦ 교육실습이 나날이 진보되는 것을 지도 교사가 느낄 수 있도록 하여야 한다.

3) 대화에 대한 책임

① 자기에게 주어진 일에 대하여 무엇이고 먼저 성실하게 처리한다.
② 학생의 문제는 지도 교사와 의논해서 처리하고, 실습의 문제는 지도 교수와 협의하여 처리한다.
③ 지도 교수와 지도 교사 사이의 의사 소통을 위한 좋은 중개자가 되어야 한다.

4) 학생에게 대한 책임

① 학급에서의 학생에 대하여 책임을 져야 하며 간접적으로는 학부모에게까지 영향력을 준다.
② 단정한 옷차림과 몸가짐으로 학생의 신임을 얻어야 한다.
③ 생동적인 모습을 학생들은 좋아한다.
④ 명랑하면서도 건실함을 잃지 말아야 한다.
⑤ 충실한 재료와 주의깊은 준비로 학습을 이끌어야 한다.

5) 교육실습 중 교생이 지켜야 할 사항

① 근무 : 무단 결석, 지각, 조퇴 등을 삼간다.

② 사무 처리 : 채점시의 계산 착오, 난잡한 글씨, 오기된 복사 등에 주의한다.

③ 비밀 보장 : 학생의 성적, 학생의 일신상의 비밀, 학생의 가정사, 교내의 비밀 등을 지켜야한다.

④ 특정 내용의 선정 : 특수 정당의 비방, 종파의 반대를 삼간다.

⑤ 벌 : 단체적 벌이나, 때리는 벌을 삼가한다.

⑥ 학생과의 친숙 : 편애나 정도가 지나친 친절은 삼간다.

Ⅱ 교육실습의 과정

1. 사전지도

1) 대학에서의 지도

교육실습을 경험하기 전과 경험한 후에는 교육에 대한 실습생의 마음 가짐이 아주 달라진다. 이는 실습생 자신도 인정하며 실습 학교 교사들로부터도 밝혀지고 있는 사실이다. 사전지도를 받는 실습생들의 기분은 새로운 경험에 대한 불안이나 공포, 열심히 노력해 보려는 마음가짐이나 긴장 등에 대한 여러 가지의 생각이나 감정에 사로잡혀 있을 것이다. 대학에 있어서의 실습생에 대한 지도는 이러한 실습생의 기분을 충분히 이해하면서 이루어지지만, 자칫하면 형식에 치우치고 불안을 증대시키며 기대를 잃게 하는 경우도 생기는 것이다. 역시 새로운 경험을 하는 실습생을 충분히 인식하고 교육실습에 대한 동경과 포부를 가지며, 확실히 노력하면서 해보겠다는 의욕을 가지게끔 이끌어 가는 것은 매우 중요한 일이다.

사전 지도에서 실습생이 알아두어야 할 것들을 열거하면 다음과 같다.

① 교육실습의 의의와 목표의 확인

② 교육실습 내용의 개요

③ 실습교에서의 교육 실습생 근무 요령

④ 실습교에서의 지금까지 한 실습의 반성과 기대

2) 실습교에서의 지도

실습교의 사전 지도는 대학의 사전 지도를 기초로 현장 교사의 입장에서 실습교로서의 사전 지도를 한다. 실습교에서는 그 학교의 실태, 즉 학교가 소재한 지역 사회의 특수성을 비롯해서 학교의 교육 방침, 학생의 발달, 학습 지도, 생활 지도의 목표와 내용 등을 인식시킨다. 또한, 현장 교사로서의 마음가짐이나 근무상의 요령, 교육 실천과 교육 연구의 문제, 그리고 학생을 대할 때의 교사로서의 태도 등을 지도한다.

비록 교육실습생이긴 하지만 학생들에게 교과나 생활을 지도하는 이상 학생은 교생을 실제 교사로서 대하게 된다. 따라서 실습생은 교사로서 근무하며, 교사로서 학생들을 대해야 하는 것이다. 현장 교사와 다름없이 근무 시간을 지키며, 그 학교에서 정한 규칙을 준수해야 한다. 이처럼 현장 교사와 같은 책임 있는 행동을 하는 것은 매우 중요한 일이며, 학생들의 인격 형성에 크게 기여하게 된다는 것을 잊어서는 안 될 것이다.

2. 실습의 요령

1) 근무의 요령

교육실습생은 실습생인 동시에 교사임을 자각하고 다음과 같은 사항 등을 유의하면서 근무해야 할 것이다.

(1) 출근과 퇴근

① 정해진 시간까지 출근하고 출근부에 날인을 한 후 소정의 근무에 임한다.
② 결근계는 사전에 지도 교사에게 제출해야 한다.
③ 지각, 조퇴도 위의 사항에 준한다.
④ 근무 시간 후에 학교에 남을 필요가 있을 때에는 지도 교사의 사전 승인을 받아야 한다.

(2) 근무

① 청강, 참관은 적극적이고 계획적으로 하고, 지도 교사의 지도를 충실히 따른다.
② 각종 당번은 책임을 지고 확실히 수행한다.
③ 사무 보고는 즉각 처리한다.
④ 조사 연구물은 기간 내 완성한다.
⑤ 실습 일지는 매일 기록하여 지도 교사에게 제출한다.
⑥ 실습생이 많아 학교일에 모두 참여시키지 못하는 경우라도, 매사에 적극적으로 참여하여 풍부한 경험을 쌓도록 한다.

(3) 수업

① 지도 사항의 정확을 기한다.
② 학생지도안은 수업 전 날까지 지도 교사의 승인을 받는다.
③ 교구의 취급에 주의하고 사용 후는 반드시 정리해 둔다.
④ 지도 시간 외에도 소속 학급에 참관 보조를 한다.
⑤ 타 학급을 참관할 경우는 지도 교사의 사전 승인을 받는다.
⑥ 수업을 참관한 교사에 대해서는 지도 조언을 받는다.
⑦ 연구 수업을 할 경우는 본 대학의 소속 학과에 연락한다.
⑧ 각종 행사에 적극적 참여를 필요로 한다.

(4) 연구 반성회

① 시간을 엄수하고, 규율을 지키고, 능률적으로 한다.
② 자발적으로 행동하고 연구적 태도를 지닌다.
③ 자기 의견의 발표, 질문, 답변 등은 침착하게 명확히 한다.
④ 타인의 언동을 경청하며 비판을 기꺼이 받아들인다.

(5) 준수 사항

교육실습생은 다음과 같은 사항을 임의로 할 수 없다.

① 소속 학급, 담당 교사의 변경

② 가정 방문, 가정의 명령 통지

③ 학생의 수행과 잔류

④ 학생의 상벌

⑤ 학교장이나 지도 교사의 허가 없는 학생의 교외 인솔

⑥ 학생과의 감상문, 기념품 수수

⑦ 지정된 장소 외에서의 흡연

⑧ 교사의 품위를 잃게 하는 복장 및 언행

2) 연구의 요령

교육실습은 실습 기간 중 매일 실습생으로서의 교육 연구나 실천을 쌓는 과정이며, 또한 교육자로서의 인격 형성과 교육 연구자로서의 학식을 연마하는 과정이다. 앞으로의 교육은 연구를 무시하고는 바람직한 교육 효과를 기대할 수가 없다. 따라서 실습생은 비록 실습 기간중이라도 이 기회가 아니면 달리 할 수 없는 연구에 전념하며, 실습을 마친 뒤에도 계속 연구하도록 하는 마음가짐을 가져야 한다. 예를 들면 학습지도, 생활지도 등의 지도 내용과 교재, 지도법과 지도 기술 및 학생의 발달과 심리, 시청각 교구의 이용법 등 교육 효과를 높이기 위하여 연구해야 할 문제들이 교육 현장에 많이 있다. 이러한 문제에 관심을 가지고 그 연구의 실마리를 푸는 것만으로도 교육에 대한 관심과 교직에 대한 희망이 크게 확대되어 갈 것이다.

3. 실습의 단계

1) 관찰

(1) 의미와 목적

관찰이란 학생들의 학교 생활, 교사들의 학습 지도 활동, 학교 시설 등을 이해하기 위해서 실제 실습에 들어가기 전에 교육 현장을 참관하며 견학하는 활동을 말한다. 따라서 실습에서의 관찰이란 필수 과정으로서 중요한 활동이다. 이 단계에서의 활동 내용을 정확하고 상세하게 기록하여 실습생 자신이 수업에 임할 때 널리 활용하여야 한다.

이제 관찰의 근본 목적을 구체적으로 나누어 보면 다음과 같다.

① 학교 및 학급(건물, 시설뿐 아니라 집단의 사회 관계 포함)을 알기 위하여
② 학생을 교육적으로 이해하기 위하여
③ 교재, 교구 등을 알기 위하여
④ 생활 지도, 학습 지도, 학생 관리법을 알기 위하여
⑤ 학교를 감싸고 있는 가정, 사회 등의 학교 교육의 배경적 조건을 알기 위하여
⑥ 학교 생활에 쉽게 적응하기 위하여
⑦ 교육자로서의 품성이나 태도 및 생활 양식을 알기 위하여

(2) 내용

(가) 학교의 시설

① 교지: 위치, 면적, 형상, 환경 등의 교육적으로 적합한가
② 교사의 교육적 필요 조건
㉠ 교사의 규모 및 교실의 배치
㉡ 특별 교실 및 부속 건물
㉢ 교사는 보건 및 안정상 적당한가
③ 교사의 이용
㉠ 제반 교실은 교육적으로 잘 이용되고 있는가

㉡ 시설의 개선 향상 계획은 잘 짜여져 있는가

④ 설비

㉠ 보통 교실 및 특별실의 설비

㉡ 각 교과 학습에 필요한 교구의 구비 사항

㉢ 운동장 및 보건 시설

(나) 교직원

① 교직원 수(교장, 교감, 교사, 사무 직원, 용원의 정원과 현원)

㉠ 교직원의 조직: 교과 및 사무의 분담과 협력관계

㉡ 교직원의 질: 출신교, 자격, 성별, 연령, 교육열, 연수 상황

㉢ 교직원의 근무: 근무 조건, 복무 상황, 일과표, 대우

(다) 학교 교육 계획

① 국가 및 지역의 교육 목표

② 학교 교육의 목표

③ 학교 경영의 방침

④ 주요 사업 계획

(라) 교육 과정

① 계획과 구성

㉠ 교육과정 시간 배당(교육인적자원부 기준과의 비교)

㉡ 각 교과의 계획(교과 운영 계획, 단원 일람)

㉢ 필요한 조사는 잘 되어 있는가

㉣ 같은 지역의 다른 학교와의 관련을 배려하고 있는가

② 내 용

㉠ 학교의 실정에 알맞는가

㉡ 학생의 개인차를 고려한 것인가

㉢ 단원의 구성과 배열은 적절한가

㉣ 교육인적자원부의 교육과정령에 따른 기준안과 교과서를 적절히 검토 이용하고 있는가

③ 평가와 개선

㉠ 교육 과정에 관하여 항상 평가 및 개선하고 있는가

㉡ 개선을 위한 어떤 조직이 있으며, 어떻게 활동하고 있는가

(마) 학습지도

① 학습지도의 준비

㉠ 각 단원 및 매시의 학습 지도 계획은 적절한가

㉡ 교재에 대한 연구는 충분히 이루어지고 있는가

㉢ 시청각 교재, 기타 자료 및 교구의 준비는 적절한가

② 지도의 실제

㉠ 지도의 형태는 적절한가

㉡ 학습의 전개 과정에 전후의 관련이 잘 이루어지고 있는가

㉢ 학생의 관심과 요구 및 능력 등이 잘 고려되고 있는가

㉣ 교구 및 학습 자료의 취급은 적절한가

㉤ 교사의 언어, 태도 등은 적절한가

㉥ 수업 분위기는 온화하며 교사의 열성이 보이는가

③ 학생 활동

㉠ 학생의 학습 의욕은 충분한가

㉡ 학생은 학습 목표와 문제점을 잘 파악하고 있는가

㉢ 학습활동은 생생하며 협동적인가

㉣ 자발적 자주적인 학습 습관 및 태도가 길러지고 있는가

㉤ 교사의 발문에 대하여 학생들은 적극적으로 응하고 있는가

㉥ 도서관, 참고서 등의 이용은 적절한가

㉦ 노우트 정리는 잘 하고 있는가

④ 교사의 지도 기술

㉠ 학습 지도법은 전반적으로 합리적이고 능률적인가

㉡ 학생의 개성을 잘 이해하고 학생활동을 잘 촉구하고 있는가

㉢ 교재의 선정은 적절한가

㉣ 발문 및 설명의 요령은 적절한가

㉤ 교구의 활용이 적절한가

㉥ 평가의 방법은 합당한가

㉦ 과제의 제시 및 처리는 적절한가

(바) 생활지도

① 생활지도 조직

㉠ 생활 지도를 위한 어떠한 조직을 갖추고 있는가

㉡ 각 부 및 각 계는 어떻게 서로 협조하고 있는가

㉢ 생활 지도에 관계되는 제반 규정은 잘 정비되어 있는가

② 지도 자료

㉠ 학생에 관한 제반 자료는 어떻게 수집하고 있는가

㉡ 수집된 자료는 어떻게 활용되고 있는가

㉢ 각종 표준화 검사 자료의 처리와 활용은 적절한가

③ 지도 계획과 실시

㉠ 생활 지도 계획은 주도하게 작성되어 있는가

㉡ 학교의 실태에 알맞는 계획인가

㉢ 지도는 조직적으로 이루어지고 있는가

(사) 특별 활동

① Home Room(HR)

㉠ Home Room의 조직은 어떻게 되어 있는가

㉡ Home Room의 기능은 충분히 발휘되고 있는가

② 학생회

㉠ 학생회 조직은 어떻게 되어 있는가

㉡ 학생회 활동은 조직적으로 잘 이루어지고 있는가

㉢ 학생회 활동은 교사가 어떻게 지도하고 있는가

③ 클럽 활동

㉠ 클럽의 편성 및 조직은 적절한가

㉡ 클럽 활동은 그 기능을 충분히 발휘하고 있는가

④ 봉사활동

(아) 학급 경영

① 학급 환경 정리는 적절한가

② 게시 교육은 그 기능을 충분히 발휘하고 있는가

③ 좋은 학급 분위기를 조성하기 위하여 담임 교사는 어떠한 노력을 하고 있는가

④ 학급 담임이 하는 일에는 어떠한 것들이 있으며, 그 일들은 합리적으로 이루어지고 있는가

⑤ 학교와 학부형과의 협력적인 관계를 이루기 위하여 어떠한 일을 하고 있는가

(자) 학교 경영

① 학교장의 교육이념은 어떠한가

② 학교 운영 위원회(어머니회/육성회)의 조직은 적절한가

③ 학교 운영 위원회는 그 기능을 충분히 발휘하고 있는가

④ 학력신장 방안은 어떠한가

⑤ 전인 교육 방안은 어떠한가

(차) 학교 사무

① 학교 사무의 처리: 사무직원 유무, 사무 분담과 각 계의 협조

② 필기 서류의 기입과 정리 보존

③ 사무 능률과 잡무 정리
④ 학생의 입학, 진급, 퇴학, 제적, 졸업 등의 취학 관리에 관한 일

(카) 도서관 활동

① 도서관 자료의 선정은 타당한가
② 장서의 구성은 타당한가
③ 도서 이외의 자료는 어떠한 것이 있는가
④ 도서관 운영의 조직은 어떻게 되어 있는가
⑤ 도서관 열람 규정은 어떻게 되어 있는가
⑥ 도서관 교육은 어떻게 하고 있는가

(타) 학습 자료

① 학습 자료는 어디에 분류 보관하고 있는가
② 학습 자료는 어떠한 것들이 있는가

(3) 유의점

① 선입관을 버리고 있는 그대로 보도록 노력한다.
② 관찰자는 교육의 장애나 방해가 되지 않도록 노력한다.
③ 실습생은 다른 학교 참관자와는 달라서 자기도 학생지도에 임하여야 할 것이기 때문에 적극적 · 실천적 의도를 가지고 관찰하도록 한다.
④ 막연한 눈으로 보지 않고, 그날 그날 장면에 따른 관찰 사항을 미리 설정하고 관찰에 임하도록 한다.
⑤ ④항의 관찰 사항을 설정함에 있어서는 계통성을 유지하여야 한다.
⑥ 관찰된 사항은 반드시 요령있게 기록하여야 하고, 관찰된 사항을 활용하도록 노력하여야 한다.

2) 참가

(1) 의미와 목적

참가는 실습생이 학교 내외에서 교사가 하는 활동에 참가하는 기회를 가짐으로써 학교와 사회에 있어서 교사의 의무를 경험에 의하여 익히는 방법이다. 즉, 이는 실습생이 학습지도의 장이나 기타 학교 현장에 참가하여 그 활동에 접촉하며 그 작업을 익히는 것이다. 이러한 경험을 통해 실습생들이 학생과 교육활동을 보다 깊이 이해하며 지역사회 교육 활동 등을 파악하게 된다. 참가의 목적을 세분하면 다음과 같다.

① 교사 활동에 대해서 이해시키고 또한 체험케 하기 위하여
② 학생에 대한 이해를 깊게 하기 위하여
③ 교수 및 학습 활동에 관한 체험적 이해를 촉구하기 위하여
④ 학교 교육 활동에 대한 이해의 기회를 갖기 위하여
⑤ 실습 학교의 배경인 지역 사회를 이해하는 기회를 갖기 위하여

(2) 내 용

(가) 일반 사항에의 참가

① 학급 혹은 교과의 교육 계획을 위해서 자료, 교재, 교구 등을 수집 정비하는 일
② 학생의 출석, 건강, 가정 상황, 학습 성과 등에 관한 기록을 정비하는 일
③ 학급 행사, 학교 행사 등을 돕는 일
④ 학생들과 더불어 운동하거나 놀아주는 일
⑤ 학습 부진 학생들에 대한 교정 지도나 복습 지도를 돕는 일

(나) 학생활동에의 참가

① 지도 교사로부터 연구 대상 학생을 선정 받도록 한다.
② 학교에 있는 해당 학생에 관한 지능 검사, 학력 검사, 성격 · 흥미 · 태도 등의 검사와 교사의 관찰 기록 등 기존 자료를 제공받아 그 가운데서 요점만을 적기

한다.

③ 매일 그 학생의 행동을 관찰하여 행동 목록, 일화 기록, 행동 묘사 등의 방법으로 기록한다.

④ 그 학생의 성적물, 작문, 일기 등을 분석한 생활사, 생육사, 자서전 등을 쓰게 하여 분석한다.

⑤ 문제의 소재는 파악했으나 그 원인을 정확히 모를 때는 그 학생과 면접을 해서 탐색하는 것도 바람직하다.

⑥ 가정 환경을 조사하기 위해서 가정 방문이 필요할 때는 지도 교사의 허락을 받아야한다.

(다) 교사 활동에의 참가

① 교재연구, 학습 지도안의 작성, 실험 실습에 대한 준비, 수업 활동 등 일련의 교수 및 학습 활동에 관한 일

② 학생, 학부모, 내빈 등과의 면접에 관한 일

③ 학생회의 활동, 클럽 활동, 학교 행사, HR 활동 등 교과 이외의 특별 활동에 관한 일

④ 교직원회, 교과 위원회, 연구 협의회, 학생 지도 위원회 등의 회의 참가에 관한 일

⑤ 교무 분장 사무, 학적 · 전출입 관계, 학급 제정의 경리, 일지 등의 학교 행정에 관한 일

⑥ 자습, 식사, 청소, 교재 · 교구, 비품, 과제물 등 감독과 검열에 관한 일

(라) 학교 및 학급 경영에의 참가

① 학교의 위치, 규모, 연혁 및 특색에 대한 파악

② 학교 및 학급의 비품 및 각종 시설에 대한 파악

③ 학교 교직원 조직을 비롯하여 각종 연구회의 조직, 학급 조직 등에 대한 이해

④ 학교의 행정 관리 기구와 활동 상황 등에 대한 이해

⑤ 학교를 중심으로 한 외곽 단체(P.T.A 교육회 기타 단체)에 대한 이해

(마) 지역 사회에의 참가

① 지역 사회에서의 학교의 위치, 재정적 유지, 학교에 대한 태도 이해
② 지역 사회의 주요 산업과 기관에 대한 이해
③ 지역 사회의 인구 분포, 오락 기관, 유흥 업소 등에 대한 이해 및 파악
④ 지역 사회, 종교 단체가 미치는 교육적 영향
⑤ 지역 사회의 교사에 대한 신망
⑥ 지역 사회를 위한 교사의 역할

(3) 유의점

① 교육실습생들 자신도 준 교원에 해당되기 때문에 실습교의 모든 규칙에 따라 행동해야 함을 유의해야 한다.
② 모든 참가활동은 지도 교사의 지도를 받으면서 일단 학교 당국의 결재를 얻은 다음 실시해야 한다. 특히 음주, 흡연, 폭행, 이성관계, 절도 등과 관련된 생활지도는 담임교사나 지도교사와 함께 지도한다.
③ 실습생들의 모든 행동은 교직자로서의 품위를 손상시키는 일이 없도록 조심성이 있어야 한다.
④ 참가실습 기간뿐만 아니라 실습 전 기간 동안 창의적이며 적극적으로, 그리고 협조적으로 행동을 취하여야 한다.
⑤ 실습생이라는 입장에서 학교 내부에서 있었던 모든 일을 외부에 발표하는 일은 없어야 한다. 교내의 모든 업무상의 비밀은 보장되어야 한다.
⑥ 참가실습에 사용되는 모든 방법은 사전 계획은 물론 교육적 입장에서 지장을 가져오지 않도록 해야 한다.
⑦ 모든 보고서는 건설적인 면에서 작성됨과 동시에 개인적인 결함이나 비판을 삼가야 한다.
⑧ 평가회나 기타 협의회에서는 실습생들의 생각을 건설적으로 발표하는 것은 좋으나 실습학교 교사들과 논쟁을 벌이는 일은 삼가야 한다.

3) 실 습

(1) 의미와 목적

실습은 관찰과 참가를 마친 후 현장의 교사와 똑같이 학교의 전 교육활동을 통하여 학생을 접촉하며, 자기의 전인격으로써 교육적 영향을 주면서 교사로서의 인격과 동시에 직능을 배우게 되는 경험 활동이다. 이러한 경험을 통하여 학생들의 인격과 능력을 발달시키며, 바람직한 인간 형성을 촉진하는 교사로서 중요한 역할을 자기의 체험을 통하여 자각하고 인식하게 된다. 비록 한 시간의 수업이라도 이러한 중요한 역할을 수행하고 있다고 생각하면 조금도 안일한 태도로 실습에 임할 수는 없을 것이다. 그리고 어떠한 교육활동도 끊임없는 연구가 뒷받침이 될 때에만 그에 상응한 교육 효과를 높일 수 있다는 것을 이해할 수 있게 된다. 실습에서는 단지 교육의 표면적 문제, 이를 테면 판서 방법, 설명 방법, 지도 기술의 습득에만 그치는 것이 아니고, 이들의 배후에 있는 제 문제의 탐구나 규명에 역점을 둘 필요가 있다.

실지 실습은 교육활동을 직접 체험함으로써 교육 기술의 체득, 교직적 자질의 배양, 교육 정신을 함양하는 데 그 목적이 있다. 이를 구체적으로 설명하면 다음과 같다.

① 교육 과정에 대한 기본적인 이해와 적합한 교육 계획 수립의 능력을 기르기 위하여
② 학습 지도자로서 효과적인 학습 지도 능력을 기르기 위하여
③ 교육 평가 방법을 체득하고 그 처리 능력을 기르기 위하여
④ 학생 개개인의 성장 발달에 도움을 주는 태도와 지도 능력을 기르기 위하여
⑤ 특별 활동의 교육적 의의를 인식하고 적절한 지도 능력을 기르기 위하여
⑥ 학급 경영에 대한 이해를 촉구하고 경영 능력을 기르기 위하여
⑦ 학교 교육의 배경인 지역 사회를 이해하고 지역 사회의 인사와 협조 능력을 기르기 위하여
⑧ 학교 행사에 참여하여 학교 교육 활동을 이해하고 근무 형태를 배우기 위하여

(2) 내 용

실습생들이 실습 기간을 통해 경험해야 할 현장 교육 활동은 교직 생활의 전반적인

영역에 걸쳐 체득케 하는 것이 바람직하지만, 한정된 실습 기간 동안에 그 전부를 실습하기는 곤란하다. 그러므로 학습지도, 생활 지도 및 특별 활동, 학급 경영, 교육 평가 또는 교직 근무에 관한 사항 등과 같은 중요한 사항들은 실습을 통해 경험할 도리밖에 없다.

(가) 학습 지도에 관한 내용

① 지도 계획의 입안
② 학습 지도의 전개
③ 학습 효과의 평가

(나) 생활 지도 및 특별 활동에 관한 내용

① 학생의 이해
② 학교에서의 생활지도의 실습
③ 특별활동의 지도

(다) 학급 경영에 관한 내용

① 물적 환경의 정비
② 학급 사무의 처리
③ 학생의 학급 경영에의 참가와 그 지도
④ 상시적 활동에의 협력

(라) 교직 근무에 관한 내용

① 복무 규율, 각종 규약, 근무 중 유의점 등 근무에 관한 일
② 교직원의 일원으로서 각종 연구 집회, 학교 행사 등에 참가하는 일
③ 교구, 시설 등을 관리하는 일
④ 육성회, 어머니회, 학교 운영 위원회 활동을 이해하는 일

⑤ 당직 근무, 주번 근무, 자율학습지도, 방송 수업 등을 이해하고 참가하는 일

(3) 유의점

실습생들이 경험하는 실제 수업은 비슷한 방법과 정해진 규제 밑에서 이루어진다고 하겠으나, 실제로는 그 내용 습득의 비중은 완전히 개인적이고 사적인 대상에 속하는 일이다. 이러한 내용의 습득을 위해서는 실습생 각자의 다음과 같은 유의점이 요구되는 것이다.

① 실습의 목적을 인식하며 책임감을 가지고 이에 임하고 있는가
② 교사와 학생간의 인간적 상호 관계는 유지되고 있는가
③ 학생이 이해할 수 있도록 풍부한 지식을 갖고 모든 수업에 임할 수 있도록 준비하고 있는가
④ 올바른 교육 목적을 가지고 자신의 성취를 바탕으로 한 조직적인 계획을 세우고 있는가
⑤ 대인 관계에 있어서 성인으로서의 책임 있는 일을 하고 있는가
⑥ 정확한 보고를 하며 시간을 잘 지키고 있는가
⑦ 계속적인 자기 평가로 학습 의욕을 새로이 하고 있는가
⑧ 교사로서의 자질을 갖추고 있는가를 생각하며, 계속 이에 대한 자기의 적성을 발견하고 있는가
⑨ 자신감을 가지고 실제에 임하는가

Ⅲ 교육실습의 내용

1. 교육실습의 계획

제1주

① 교생 · 교직원 · 학생 간의 상호 인사
② 학교 경영 전반 소개
③ 실습 계획 협의
④ 수업 및 생활지도 참관

제2주

① 수업 및 생활지도 참관
② 지도교사 조력 및 협의
③ 교재연구 및 시청각 교재 교구 제작 준비
④ 실습의 중간 평가 및 반성

제3주

① 실제 수업
② 학생활동 평가

③ 사례연구, 교우관계도 작성
④ 학급경영의 훈련
⑤ 실습에 대한 중간 평가 및 반성

제4주

① 교육자의 자질 토의
② 연구수업 평가
③ 생활지도 평가
④ 교육실습 총 평가

2. 학급경영

1) 학급경영의 의의 및 영역

학급경영은 학교의 역할이 잘 수행될 수 있도록 학교체제 내의 제반 인적·물적 조건을 마련하고 이를 조정, 평가하는 일련의 활동 내지 과정이다. 학교에서 학생들은 대부분의 시간을 학급에서 보내게 되며, 교사는 학급 안에서 여러 가지 다양한 활동을 전개하게 된다. 따라서 교사들이 단위 학급을 얼마나 효율적으로 운영하느냐가 곧 학교 교육목표의 달성 여부를 결정짓는 관건이 된다고 볼 수 있다.

이러한 학급경영의 영역은 다음 몇 가지로 나누어 볼 수 있다.

· 학습지도
· 생활지도
· 학급의 환경과 시설경영
· 학급사무 처리
· 학부모 관계
· 교수-학습 매체의 선택·이용
· 기타 학습조건 조성

2) 학급경영의 과제

학급 담임교사는 수업을 하는 일 이외에도 학급을 운영하고 학생들을 지도·관리하기 위한 여러 가지 다양한 경영과제를 수행해야 한다. 학급 담임교사가 수행해야 할 주요한 경영과제를 예를 들어 제시하면 아래와 같다.

① 학급 학생들의 결석·지각·조퇴 등 근태(勤怠)상황을 매일 파악하고 그 사유를 확인한다.
② 매일 학급일지를 검열할 때 학급비품을 확인 점검하고, 파손 또는 없어진 비품이 있는 경우 즉시 수리·보충을 서무과에 요구하는 등 학급 비품을 관리해야 한다.
③ 학급 내의 화기안전에 관한 시설을 수시로 점검하고 이상이 발견되었을 때는 그 수리 보수를 서무과에 요청한다.
④ 학급회를 조직하고 이를 운영한다.
⑤ 학생들의 성적집계 및 통계산출·성적표의 작성, 발송 및 회수에 관한 사무를 처리한다.
⑥ 학생들의 행동을 지속적으로 관찰하고, 특기할 만한 행동을 소정의 기록부에 누가 기록한다.
⑦ 특별한 환경에 처해 있는 학생에 대하여 항상 주의와 관심을 기울이며 가급적 자주 개별 상담 및 지도를 하도록 한다.
⑧ 집단상담 또는 개별상담을 통하여 학생들의 진로지도에 관한 사무를 담당한다.
⑨ 학생지도를 위해 학부모와의 면담이 필요할 경우에는 학교장의 승인을 얻어 가정방문을 하거나 아니면 학부모의 학교방문을 요청한다.
⑩ 각종 기록부를 유지 관리한다.

◇ 연구과제

(1) 교사가 해야 할 업무는 무엇인가?
(2) 바람직한 교수-학습 환경을 조성하는 데 필요한 요건은 무엇인가?

3) 학급경영의 계획과 평가

(1) 학급경영의 계획

학급경영 계획의 기저는 학교 및 학년 경영목표와 방침하에, 해당 학급의 특수한 사정을 고려해야 한다. 학급실태에는 이미 앞에서 지적한 바 있는 여러 가지 항목들이 포함되어야 할 것이다. 체계적인 학급경영을 하기 위해서는 학급경영의 전 영역에 걸쳐 실천 가능한 계획을 학기별로 세우는 것이 바람직하다.

학급경영에 필요한 사항은 학급 경영일지의 형태로 책자를 만들어 활용하거나, 아니면 교무수첩을 대신 활용할 수도 있으며, 어떠한 형식을 취하든지 간에 학급 경영일지는 다음의 몇 가지 기본 관점이 반영되어야 한다.

① 학교 교육목표가 학급 경영실현에 구현되도록 작성한다.
② 학생지도에 필요한 내용이 포함되도록 한다.
③ 학급경영의 제반 계획을 실천하고 실적을 기록한다.
④ 교수–학습 활동과 긴밀하게 연결시켜 활용도를 높인다.
⑤ 학생지도의 과정에서 필요한 사항을 구체적으로 기록한다.

(2) 학급경영의 평가

학급경영의 평가는 학기초에 세운 학급경영 목표에 비추어 평가한다. 학급 담임교사는 학습지도·생활지도·특활지도 등 여러 측면에 걸쳐 평가 항목을 설정한다. 평가는 몇 단계 평정척도를 이용하여 우선 교사 자신이 자기평가를 하도록 한다. 이러한 일련의 과정은 교사가 학습 지도의 자료로 사용할 수 있을 뿐만 아니라 반성 자료로도 이용할 수 있음에 그 의의가 있는 것이다.

◇ 연구과제

(1) 학급경영은 어떤 절차를 거쳐 이루어지는가?
(2) 학급경영의 개선을 위한 평가활동은 언제, 어떻게 이루어지고 있는가?

4) 학급환경관리

학생은 학교생활의 대부분을 학급에서 보내게 되므로 학급환경의 교육적 의의는 매우 크다. 왜냐하면 학급환경 여하가 학생의 지적 성취 · 학습효과 · 태도 · 성격 등에 긍정적 또는 부정적으로 영향을 미칠 수 있기 때문이다. 따라서 학급의 교육적 가치나 기능적 가치를 전제로 하여 학급의 환경을 정비해야 한다. 학급환경을 정비할 때 고려해야 할 사항은 다음과 같다.

(1) 채광과 조명

학교 건물을 설계할 때에는 각종 교실의 채광과 조명이 최적상태를 유지해야 한다. 이는 학습이나 작업을 하는 데 피로를 적게 하고 능률을 올리며, 명랑하고 즐거운 기분으로 학습에 임할 수 있게 해준다.

(2) 환기와 통풍

교실 내의 환기와 통풍은 학습이나 작업의 효과를 높이는 또 하나의 조건이 된다. 더욱이 교실 내의 공기를 항상 신선하게 유지하는 것은 한창 성장 · 발달하고 있는 청소년들의 건강을 위해서도 매우 중요하다.

(3) 보온과 방습

여름에는 시원하고 겨울에는 따뜻하며 실내의 습도가 적당해야만 생활하기에 적절함은 말할 필요도 없다. 이와 마찬가지로 교실 내의 온도와 습도도 최적 상태를 유지하도록 항상 노력해야 한다.

(4) 방음

학습의 효과를 높이는 데 절대적 조건의 하나는 조용한 분위기이다. 교사는 소음을 다소나마 줄이기 위해 의식적으로 여러 가지 노력을 해야 한다.

(5) 학급내 설비

학급 안에 교육적으로 유용한 각종 설비를 갖추고 있어야 한다. 사실 학급 안의 설비는 교육적 이용도가 높고 학교의 목적을 달성하는 데 촉진적 역할을 담당하기 때문이다.

(6) 학급의 장식

실내장식은 균형과 조화를 이루어야 하며 학생들의 정서에 도움이 될 때 교육적 효과가 있다. 색채의 조절과 배색을 비롯하여 각종 작품의 효과적 전시와 행사를 기념하기 위한 특수 장식에 이르기까지 다양한 학급의 장식이 필요하다.

◇ 연구과제

(1) 학급의 쾌적한 물리적 환경은 어떤 것인가?

(2) 개선되어야 할 학급환경은 어떤 것이 있는가?

5) 학급사무 처리

교사에게는 학교의 전체적 사무 분장이 있는데, 여기에서는 그 중 학급 담임으로서의 사무 내용만을 살펴보기로 한다.

(1) 지도를 위한 사무

① 각종 계획표의 작성

② 실천 기록 등 조사의 정리

③ 각 교과와의 연락

④ 각종 일지의 열람과 조언

⑤ 일상적 조·종례

(2) 관리상의 사무

① 물품의 관리와 수리
② 출석부, 학급일지, 생활기록부, 지도기록부의 정리
③ 건강관리
④ 극빈가정 및 결손가정의 조사와 그 처리
⑤ 문제학생과 그 해결 방안
⑥ 각종 잡부금의 사무
⑦ 육성회, 어머니회, 학교운영위원회에 대한 사무

이상과 같이 학급사무는 매우 다양하며, 이를 처리하는 데 시간이 많이 소요되기 때문에 가급적 능률화할 필요가 있다.

◇ 연구과제

(1) 교사가 처리해야 할 학급사무는 어떤 것이 있는가?
(2) 학적관리는 어떻게 이루어지고 있는가?
(3) 공문서는 어떤 과정을 통해 수발, 처리되고 있는가?

6) 학급경영상의 유의점

① 교사는 학생 개개인의 의견에 귀를 기울이는 자세를 가지는 것이 바람직하다.
② 학급의 실태를 파악하기 위해 학생 개개인의 실태와 학급집단의 경향을 파악해 둔다.
③ 학급경영의 목표는 연간계획을 세우고 그에 따라 학습지도면의 목표와 생활지도면의 목표를 관련지워 생각한다.
④ 교실환경은 물적 · 정신적 양면을 충족시키기 위해 창의성을 발휘하여 조성한다.

3. 연구수업

연구수업은 수업자체에 대한 연구, 검토, 평가를 받는 좋은 기회이며, 교육방법의 구체적 지도를 받기 위한 수업을 말한다. 또한 지도교사와 교생 상호 간에 참관 및 수업의 실제를 통하여 상호 비판, 평가를 받는 기회가 된다.

1) 연구수업 기간

연구수업 기간은 실습 최종 주에 개최하며, 구체적인 일정은 실습학교에서 조정 결정한 일정이 확정되면, 즉시 실습학교의 연구부장은 사범대학(교직부)에, 교생대표는 소속학과에 연락을 취한다.

2) 연구수업 교과지정

연구수업을 할 교과와 교생의 선정은 실습학교에서 결정한다.

3) 연구수업을 위한 준비

(1) 교실환경의 정비

① 교실 내의 모든 비치물의 정리정돈(게시물, 칠판, 청소함, 책상 등)
② 수업에 필요한 자료, 교구 등의 정리

(2) 각종 유인물의 준비

① 연구수업 안내서
② 연구수업 지도안
③ 연구수업 평가서

4) 연구수업 참관

(1) 연구수업 참관자의 주의사항

① 수업이 시작되기 전에 교실에 들어와야 한다.
② 수업 도중 잡담을 금하고 출입을 되도록 금해야 한다.
③ 교사의 수업방법과 실수에 대해서 비웃거나 경멸의 태도를 보여서는 안된다.
④ 학습자를 가르쳐 주거나 조언 또는 도와 주어도 수업에 방해가 된다.
⑤ 참관 중에는 공동연구자의 입장에 서서 참관에 시종 임해야 한다.

5) 연구수업에 대한 협의

연구수업 협의는 연구수업이 끝난 후에 참관자를 포함한 관계자 전원이 참석하여 해당 수업에 관해 비평, 협의, 연구하는 모임을 의미한다. 일반 연구수업 협의는 지도교사의 주관 하에 적절히 진행하도록 되어 있다. 특히 연구수업 협의시에 교생으로서 의견을 진술하고 지도조언을 받을 때 유의해야 할 사항은 다음과 같다.

(1) 질의 응답할 때의 유의사항

① 추상적이지 않고 구체적일 것
② 비판적 평가를 삼가고 건설적으로 평할 것
③ 간단하고 요령있게 평할 것
④ 장 · 단점 모두를 발견하고자 힘쓸 것

(2) 지도 · 조언을 받을 때의 유의사항

① 허심탄회한 태도로 스승되는 길을 닦는 좋은 기회라 생각하고, 일체의 지도 · 조언을 감사한 마음으로 받을 것
② 지도 · 조언의 일체를 자아반성의 중요한 자료로 삼고, 한층 더 연구 노력할 것
③ 지도 · 조언자의 의견과 자기의 견해가 다를지라도 반박 또는 변명을 하지 말고

취사 선택을 자유로이 할 것

4. 학습지도

학습지도는 교육실습의 내용 중에서 가장 중요한 핵심 부분이라 할 수 있다. 여기에서는 학습지도 계획의 수립절차에 따라 그 내용과 유의점을 중심으로 기술해 보고자 한다.

1) 지도 목표

학습지도에서는 어떤 경우라 할지라도 교사는 학생의 학습활동이 어떠한 목표를 달성하기 위하여 행해지며, 또 어떠한 목표를 달성하기 위해서 지도하는가를 명확하게 인식하지 않으면 안 된다. 학습지도의 목표를 명확하게 인식하지 않으면 학습활동에 혼란을 가져오며, 지도의 노력도 무의미한 것이 되고 만다. 지도목표는 보통 일반적 목표와 구체적 목표로 나누어 생각할 수 있다.

(1) 일반적 목표

학습지도에 있어 기본적 목표라고 해도 좋다. 학습지도 요령은 각 교과마다 각 학년에 걸쳐서 명시되어 있다. 무엇을 지도하는가, 무엇 때문에 지도하는 것이냐 하는 것으로 교육활동에서 가장 기본이 되는 것이다. 따라서 교육 실습생은 무엇보다 먼저 일반적 목표를 명확하게 파악해 둘 필요가 있다.

(2) 구체적 목표

구체적 목표는 학교의 지역적 특수성이나 학급 학생들의 특수성을 고려해서 상세히 수립하는 것이다. 이것은 학생의 학습 활동의 직접 목표이기 때문에 깊이 검토하고 내용을 연구해두지 않으면 안 된다. 대개의 경우 무엇을, 어디에서부터, 어디까지 지도해야 하느냐 하는 학습내용의 중심과 한계를 결정하는 기준이 되기도 한다. 여기서 주의해야 할 점은 구체적 목표는 학습지도상 교사가 확인하는 과정에 의한 목표이지, 그 자체가 학생의 학습 활동의 목표는 아니라는 것이다.

2) 교재 연구

학습지도를 계획 입안할 때 교재 연구와 학생에 대한 연구는 양대 지주가 된다. 교재 연구는 학생에게 직접 가르칠 교재에 대한 연구가 중심이 되지만 그것에만 한정된 것은 아니다. 그 지도 내용에 관한 전후의 경험이나 계통, 그 교육적 · 사회적 가치 또는 타 교과와의 관련 등 광범위한 연구가 필요하다. 폭넓은 교재 연구와 더불어 지도자의 풍부한 학식에 의해서만이 학습을 보다 풍부하게 발전시켜 나갈 수 있기 때문이다. 다음은 교재 연구에 있어 고려해야 할 사항들이다.

(1) 지도목표와 교재와의 관련

교재 연구는 지도목표의 달성에 그 초점을 두어야 한다. 대부분의 교재는 그 교과의 지도목표와 유기적인 관련을 갖는 경우가 많지만, 그 교재를 취급할 때에 무엇을 중핵으로 하는 것인가를 충분히 연구해 두는 것이 필요하다. 또 그 교재를 통하여 어떠한 사고방식과 태도를 육성해야 좋으냐 하는 등과 같이 교재와 지도목표와의 관련을 명확히 해두어야 한다.

(2) 교재와 학생의 흥미 · 관심 · 능력

학생이 학습활동에 의욕적이고도 능동적으로 참여할 수 있게 하기 위해서는 그 교재에 대한 흥미나 관심이 중요한 관건이 된다. 학생의 흥미와 관심은 발달단계에 따라 차이가 있으며, 일상생활 의식이나 감정에 의해서도 좌우되며, 지역에 따라서 달라지기도 한다. 교재를 선택하여 지도하면서 조직할 경우 이러한 것들에 상당한 비중을 두어 생각하지 않으면 안 된다.

3) 학습 자료의 준비

학습지도법에는 몇 가지 유형이 있다. 어떤 형식을 택한다고 하더라도 그 지도를 보다 효과적으로 하기 위해서는 그에 적합한 교구나 학습 자료를 준비하고 활용해야 한다.

(1) 시청각 자료의 활용

대표적인 시청각 자료로는 도표, 표본, 슬라이드, 영화, TV, VTR, OHP 등이 있다. 시청각 자료를 활용하게 되면 학생의 감각에 호소하여 학습장면을 보다 구체적으로 전개시켜 줄 수 있기 때문에 그 효과를 높일 수 있다. 시청각 자료는 대개 학교의 자료실에도 있지만 때로는 교사 자신이 직접 만들 필요도 있다. 교사가 자작한 자료는 학습목적에 보다 적합하기 때문에 생생한 지도가 가능하다.

(2) 학생의 작품 활용

교사가 제작한 자료의 이용 뿐만 아니라, 학생들의 작품 역시 활용이 가능하다. 그들의 작품은 좋은 자료가 되며, 학습의욕의 향상에 중요한 역할을 하며 학생들의 학습동기를 높여줄 수 있다.

(3) 유인물의 활용

학생들을 지도하는 데 있어서 학교에서 제작한 유인물의 역할은 매우 크다고 할 수 있다. 학습 지도의 준비, 진행, 정리의 각 단계에서 유인물을 이용하는 경우도 많다. 최근에는 복사에 의한 유인물이 학습에 많은 영향을 미친다.

(4) 판서 계획

학습지도를 효과적으로 진행시키기 위해서는 판서 계획을 세우는 것이 중요하다. 칠판을 학생의 정면에 배치하는 것을 비롯하여, 시각적 교구도 교실환경에서 중요한 위치를 차지한다. 칠판의 이용도는 상당히 높으며, 이용 방법에 따라 학습 효과가 크게 좌우

된다. 판서 계획의 일반적 주의 사항을 들면 다음과 같다.

① 지나치게 많이 쓰지 말고, 글씨는 정자로 쓸 것
② 지워야 할 부분과 지우지 않을 부분을 명확히 할 것
③ 되도록 긴 문장을 피할 것
④ 판서는 명확하고 알기 쉽고 깨끗하게 할 것
⑤ 색 분필이나 다른 자료들을 함께 쓸 것
⑥ 판서사항은 되도록 학생들이 수업내용을 들으면서 동시에 필기하는 훈련을 쌓도록 할 것

5. 생활지도

1) 생활지도의 의의

생활지도는 여러 가지 의미로 사용되나 그 중심적 목표는 학생들의 생활자세를 올바르게 이끌어 가는 데 있다. 교과지도가 학력의 향상에 중점을 두고 있는 것에 비해, 생활지도는 외면적 생활습관의 형성을 의미하는 것이며, 인간으로서 풍부한 생활을 할 수 있도록 하는 데 중점을 둔다. 현재 생활지도라는 말은 다음과 같은 여러 가지 의미로 정의되고 있다.

① 사회적 생활습관을 개인에게 정착시키도록 하는 것이다.
② 사회적 생활태도와 자치 능력을 신장하도록 하는 특별 활동이다.
③ 개인의 건강과 안전의 지도, 사회 적응성의 지도와 진로지도, 정신건강의 진단과 의뢰, 상담 및 치유를 위한 특별활동이다.
④ 학급의 사회적 집단 의식이 개인의 의식을 지배하거나 변화시키는 힘이 크다는 것에서 착안하여 학생의 사회적 의식에 대한 문제점을 다루어 이를 해결함으로써 생활태도를 올바르게 하는 학급 편성 즉, 생활지도는 교과지도와 구별되며, 발생적으로는 교과학습을 보완하는 교육활동으로 시작되었다. 그러나 오늘날에는 인간형성의 입장에서 교과의 학습과 병행하여 중요한 교육적 활동으로 생각되기에 이르렀다.

2) 생활지도에 있어서의 유의 사항

교생은 교육실습 기간 중, 생활지도의 철저한 수행을 위하여 학생에 대한 다음과 같은 사항을 통찰 기록해야 하고, 수시로 생활지도 교사로서 다음과 같은 질문을 스스로 던져 보아야 한다.

① 각 학생의 행동과 이를 통해 도출되는 특장점을 기록하고 있는가?
② 각 학생의 학업성적을 알고 있는가?
③ 각 학생의 특수 적성을 알고 있는가?
④ 각 학생의 사회적 행동에 대한 특기할 만한 점을 기록하고 있는가?
⑤ 교우관계도를 만들었는가?
⑥ 각 학생의 가정적 배경을 알고 있는가?
⑦ 신체적 결함을 갖고 있는 학생은 누구인가?
⑧ 정서적 결함을 갖고 있은 학생은 누구인가?
⑨ 사회적 적응에 있어서 도움을 필요로 하는 학생은 누구인가?

3) 사례연구

개별연구라고도 하며, 특별히 선정된 학생에 대해 모든 면으로 관찰 · 조사 · 연구하여 학생의 이해를 위한 방법이나 기술을 터득함과 동시에 그 성과를 개별지도에 이용하려는 것이다. 따라서 학습부진아, 부적응아의 교정지도와 병행하여 실시하는 것도 하나의 방법이다.

(가) 사례연구 방법의 순서

① 지도교사로부터 연구대상 학생을 선정받는다.
② 학교의 기존 자료(생활기록부, 교사의 관찰 기록 등)를 조사하여 그 중에서 요점을 기록한다.
③ 매일 그 학생의 행동을 행동목록, 일화기록, 행동묘사 등의 방법으로 관찰 · 기록한다. 이때 지도교사의 허가를 얻어 실험적 관찰을 실시하며, 주어진 조건하에서

그 행동이 어떻게 변화하는가를 살피는 것이 좋다.

④ 그 학생의 지능검사, 학력검사, 성격 · 흥미 · 태도검사의 결과나 성적 · 작문 · 일기 등의 분석을 통해 주목할 만한 경향을 발견하여 기록하거나 자서전 등을 쓰게 하여 분석하는 것도 좋다.

⑤ 문제의 소재는 알았으나 원인이 확실하지 않을 때는 본인과 직접 면담하여 찾아내는 것도 한 방법이다.

⑥ 가정환경을 조사하기 위하여 가정방문을 통해 보호자와 면접하거나 이웃 사람들에게 물어보아야 하는 경우도 있다.

(나) 사례연구의 일반적 형식

① 신상에 관한 사항 : 성명, 주소, 생년월일, 연령, 출생지, 성별
② 문제의 개요 : 연구하게 된 이유, 부모 · 교사의 견해, 성격 문제
③ 본인에 관한 종합적 자료 : 출생, 성장력, 신체적 · 정서적 · 지적 · 사회적 발달 상황, 성격, 행동, 흥미, 취업, 학업 성적 및 각종 검사 결과, 가정환경 · 배경 및 유전 관계
④ 자료분석과 문제의 진단
⑤ 문제에 대한 지도실시(치료)
⑥ 지도결과 검토 및 평가

4) 교우관계도 작성

생활지도나 학급경영의 한 자료로서, 학생의 교우관계를 조사하여 그 집단 내외 대인관계를 도표화한 것을 말하는데, 이는 집단 구성원의 사회적 구조를 알기 위한 것이다.

(가) 교우관계도 작성을 위한 질문지 문항의 예

① 당신의 생일 잔치에 학급 친구를 초대할 경우, 누구를 초대하고 싶은가? (선택)
② 당신의 생일 잔치에 학급 친구들 중에서 한 사람을 초대하지 못할 경우, 누구를

빼놓겠는가? (배척)

③ 당신의 진로(직업) 선택의 문제를 학급 친구들과 의논해야 할 경우, 누구와 의논하고 싶은가? (선택)

④ 당신의 진로(직업) 선택의 문제를 의논하는 자리에 한 사람의 자리가 하나 모자랄 경우 누구를 빼놓겠는가? (배척)

이상의 문항에 대한 학생들의 응답결과를 가지고 다음과 같은 절차에 의해 교우관계도를 작성한다.

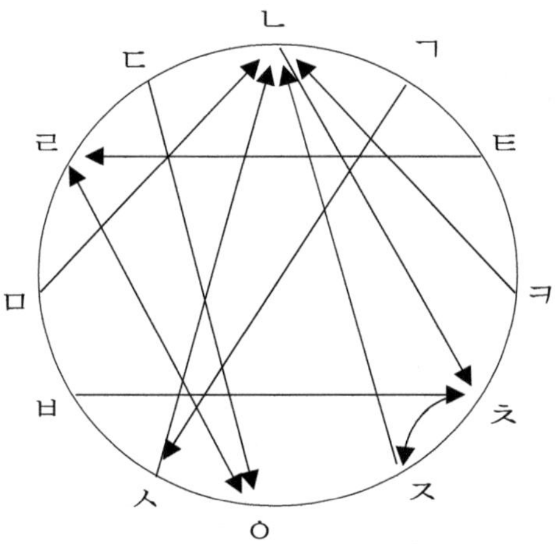

[그림 1] 원주에 표시한 교우관계도

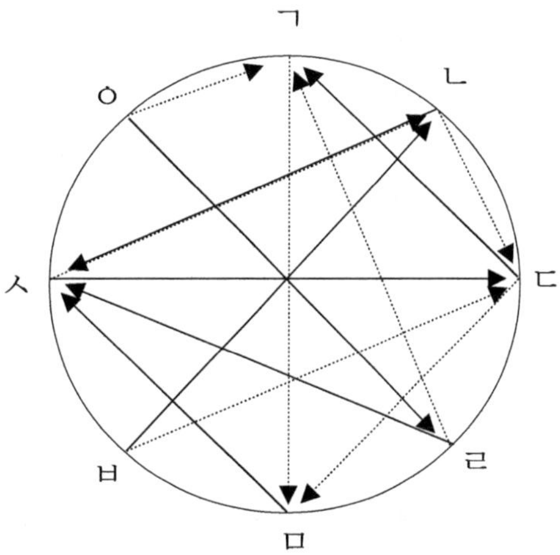

—— 선택 --- 배척

[그림 2] 원주에 표시한 교우관계도(선택과 배척)

먼저 각 문항마다 [그림 1]과 같은 그림을 만들고 그것을 중심으로 해서 학생의 번호나 이름을 주위에 적어 넣는다. 그 다음 작성된 표에 의해 선택의 방향을 서로 표시한다. 질문지의 문항이 선택의 방향뿐 아니라 배척의 방향이 함께 있는 경우에는 그 표시도 아울러 해야 하는데, 이것은 붉은 연필이나 녹색 연필을 사용하여 구분할 수 있도록 하는 것이 편리하다. 선택과 배척의 표시를 함께 한 경우의 예가 [그림 2]이다. 일반적으로 개인 ㄷ이 ㄱ을 선택하는 경우를 상징해서 [ㄷRㄱ]라고 쓴다. R은 ㄷ이 ㄱ에게 관계를 갖고 있다든가 영향을 미친다는 뜻으로 표시한 것이다.

다음에 할 일은 교우관계도를 만들어 보는 일이다. 위에 제시한 바와 같은 원주에 의한 교우관계도만으로도 한 집단의 구조나 개인의 ㄷRㄱ를 짐작할 수 있으나, 좀더 이것을 분명히 하기 위해서는 개인이나 집단의 ㄷRㄱ를 의미있게 따로 그림으로 그려 볼 필요가 있다. 그 중 대표적인 유형 몇 가지를 보면 다음과 같다.

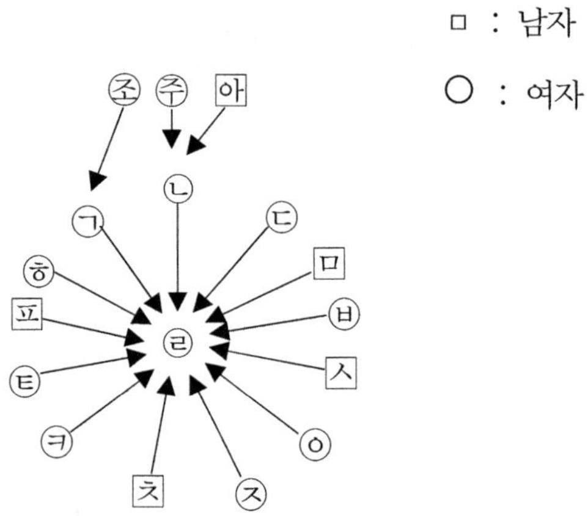

〔그림 3〕 인기형의 교우관계도

첫째, 인기형이다. 이것은 한 사람이 상당한 부분의 집단 성원에게서 선택받는 경우이며 [그림 3]이 그 예이다. 한 집단 속에 이와 같은 인기형이 전혀 없는 것도 문제이지만, 지나치게 한 사람에게 선택이 모이는 과잉선택도 문제거리이다. 과잉선택은 인간관계가 '횡의 평등'보다 '종의 상하' 관계로 형성되어 있을 가능성이 많을 뿐 아니라, 인기자에게 전체적, 독재적 지도성을 발휘할 기회를 부여할 가능성도 있음에 주목해야 한다.

둘째, [그림 4]와 같이 연쇄형이다. 이것은 선택의 화살이 한쪽 방향으로만 움직이는 경우이며 일방적인 한 방향으로 막의 선택이 연쇄적으로 일어나는 형태를 말한다. 이런 형태가 많은 집단은 집단의 응집력이 약하기 마련이다.

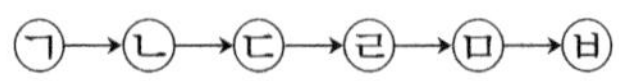

[그림 4] 연쇄형의 교우관계도

셋째, [그림 5]와 같이 삼각형이다. 이것은 세 사람의 선택이 연쇄적으로 되어 있거나 상호선택이 되어 있는 경우를 말한다. 삼각형이나 패거리 관계의 특징은 폐쇄적이고 배타적이기 때문에 정상적인 사회성은 아니다.

[그림 5] 삼각형의 교우관계도

[그림 6] 단짝형의 교우관계도

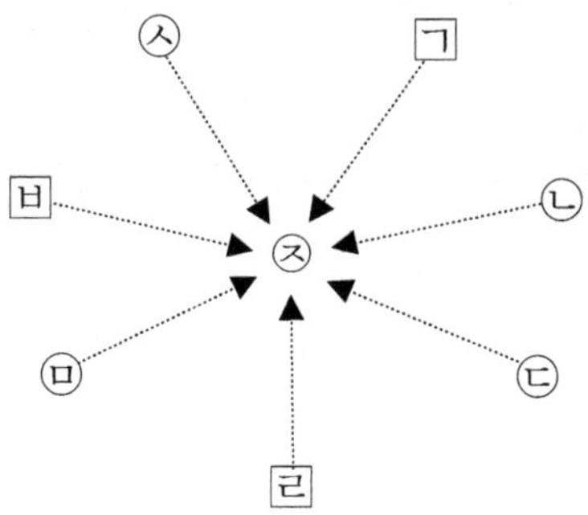

[그림 7] 배척형의 교우관계도

넷째, [그림 6]과 같이 단짝형이다. 이것은 두 사람이 서로 상호선택을 하고 있는 경우이며, 이 같은 단짝형은 사춘기에 접어들면서 급격히 증가하게 된다. 각 성원에게 심리적 안정감을 주는 의미에서 뿐만 아니라 집단의 여러 가지 긍정적 지수를 계산하는 기초로서도 중요하다. 그러나 이것이 극단적인 형태로 발전하면 폐쇄적인 교우관계가 될 위험이 많다.

다섯째, [그림 7]과 같이 배척형이다. 이것은 집단 성원들의 배척의 화살이 지나치게 많이 모이는 경우를 말한다. 대개 정서적, 지적, 신체적 발달에 어떤 치명적인 결함이 없는 한 이런 형태는 나오지 않기 때문에, 이러한 배척형에 대한 지도는 원인 발견에서부터 출발해야 한다.

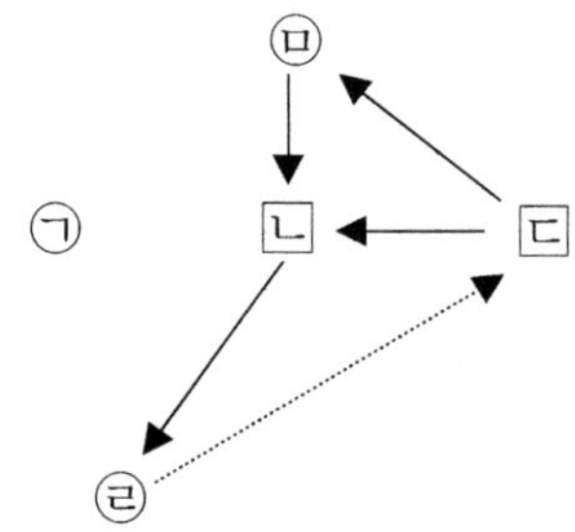

[그림 8] 고립형의 교우관계도

여섯째, [그림 8]과 같이 고립형이다. 이것은 자기도 선택이나 배척을 하지 않을 뿐 아니라 누구의 선택이나 배척도 받지 못하는 형태를 말한다(그림에서 ㉠의 경우). 특히 선택을 무제한으로 했는 데도 아주 적은 선택 밖에(한 개 혹은 두 개) 받지 못하는 경우를 소외형이라고 한다. 고립형은 다른 사람의 관심을 끌지 못하고 반응에 대한 자극이 되지 못할 뿐만 아니라 자기도 선택 및 배척을 하지 않는 사회관계인데, 엄밀하게 보면 실제 이러한 형태는 별로 존재하지 않는다. 그래서 선택되지 않는 사람이나 과소선택인 소외형을 대개 고립형에 포함시켜 설명하는 일이 많다.

5) 문제학생의 지도

문제학생의 실태는 복잡하다. 그 원인은 개인에 따라 서로 다르며, 그에 따라 문제의 성격도 달라진다. 따라서 그 지도 방법도 문제학생의 실태에 따라 달라야 한다는 점을 고려해야 한다. 그러나 이 방법을 크게 나누면 첫째, 학급 집단의 의식으로 보다 잘 해결하는 방법, 둘째, 개인의 심리적 · 정신병리적 진단과 치료에 의한 방법의 두 가지로 나눌 수 있다. 즉 집단치료와 개인치료를 말한다. 그 지도는 사례연구를 바탕으로 하여야 하며, 요점은 다음과 같다.

① 문제는 반사회적 행동뿐만 아니라 무관심과 같은 비사회적 행동도 포함된다.

② 문제가 발견되면 그것이 어떤 성격의 것인가를 밝히고, 그 문제점과 관련있는 행동을 빠짐없이 기록 정리한다.

③ 문제의 원인을 밝혀내는 데 활용되는 자료는 모아 둘 필요가 있다.

④ 교사는 먼저 문제학생의 절대적 신뢰를 얻는 것이 중요하다. 교육 실습생이 문제학생을 지도할 경우에는 자기 마음대로 지도하는 것이 아니라 반드시 교사의 지도 조언을 받아서 지도하도록 해야 한다.

6. 특별활동

특별활동은 학생활동, 학급지도, 학교행사의 세 가지 내용으로 구성되는 영역이다. 이는 교과 영역과 밀접한 관련을 가지면서 교사와 학생의 인간적 접촉을 기반으로 자주적 생활태도와 자치적 능력 및 건전한 생활태도를 육성하는 것을 그 특징으로 한다. 교생은 이러한 특별활동에 적극적으로 참여하여 지도 · 조력하면서 그 조직의 관리 · 운영 및 지도 방법을 습득해 두어야 한다.

1) 특별활동의 유의점

① 특별활동을 학교 시간 내에 배정하여 전체 학생이 참가할 수 있도록 한다.

② 학생을 학교성적이나 가정환경에 구애됨이 없이 참여시킨다.

③ 누구나 참여하도록 하지만 강제적이어서는 안된다.

④ 조직적인 규제는 최저로 유지하고 최대의 융통성을 갖는다.

⑤ 교사의 책임 하에 지도한다.

⑥ 대부분의 교사가 특별활동에 참여한다.

⑦ 모든 활동의 기능과 목적을 교사가 알고 있어야 한다.

⑧ 후원자의 선택도 가능하다.

2) 특별활동에서의 교생의 임무

① 자치회의 진행을 참관한다.
② 클럽의 지도자가 되어 일한다.
③ 연극, 합창 등 가능한 활동에 참여하여 학생을 돕는다.
④ 오락시간에 참가하여 참신한 프로그램으로 인도한다.
⑤ 도서관 사용의 일을 돕는다.
⑥ 학생 체육을 돕는다.

7. 교생실습 기간 중 교생이 지켜야 할 사항

① 모든 교생실습 활동은 연구부장과 지도교사의 사전승인과 감독 하에서 이루어진다.
② 모든 교생은 참관 · 수업 · 협의시간을 제외한 나머지 근무시간에는 실습학교가 지정한 장소에서 충실하게 근무해야 한다.
③ 교생의 근무시간은 실습학교 교사의 근무시간과 동일함을 원칙으로 하며, 실습학교의 별도 지시가 있으면 근무 혹은 지도받는 시간이 연장될 수도 있다.
④ 교생은 질병 또는 사고로 인해 결근, 지각, 조퇴를 하는 경우 실습학교의 서식에 맞추어 사전에 지각 · 조퇴계를 지도교사를 통해 교장(교감)에게 반드시 제출해야 한다.
⑤ 모든 교생은 교육실습 계획표를 지참해야 하며, 출근 즉시 출근부에 날인을 해야 한다.
⑥ 교생은 학생들을 상대로 교과 또는 생활지도와 직접 관련되지 않은 경우 특수 정당에 대한 비방, 종파의 반대를 삼가해야 한다.
⑦ 교생은 긴급한 사항의 발생, 공무 연락 이외에 교무실의 전화를 사용해서는 안된다.
⑧ 교생은 편애나 정도가 지나친 친절을 삼가고, 어떠한 경우에도 체벌이나 구타는 삼가해야 한다.
⑨ 원칙적으로 교생은 배정된 학급 학생의 가정을 방문하거나 학교 밖의 어떠한 장소에서도 학생, 학부형을 만나 학교나 학생문제를 의논해서는 안된다.
⑩ 교생 상호 간에 대화를 나눌 때나 학생과의 수업시간은 물론 그 이외의 시간에 대

화를 할 때는 표준어 · 경어를 사용해야 하며, 은어나 속어, 욕설을 사용하는 일이 없도록 하여, 교생의 일거일동이 교사로서 품위를 손상시키지 않는 모범적인 행동이어야 한다.

⑪ 실습학교 또는 지도교사가 추진하고 있는 연구활동에 참가해야 하며, 교생 자신이 연구과제와 연구활동을 계획하고 실천해야 하며, 이에 관한 지도교사의 지도를 받아야 한다.

⑫ 연구수업 참관과 연구수업 후의 협의회 참석, 그리고 실습학교에서 계획하는 각종 집회와 지도 강연에 빠짐없이 참관해야 한다.

Ⅳ 학습지도안의 작성

이 장에서는 교사와 학생이 만나서 진행하는 수업에 대해서, 수업의 설계도에 해당하는 학습지도안을 작성하는 방법에 대해서, 그리고 수업을 진행하고 수업 결과에 근거하여 학습지도안을 평가하는 방법에 대해여 간략히 살펴보고자 한다.

1. 수업

이 절에서는 수업을 효과적으로 진행하기 위하여 예비 교사들이 익힐 필요가 있는 수업 요령에 대해서, 그리고 새로운 수업의 기법들을 활용하여 수업을 실행하고 공개하는 연구 수업에 대하여 살펴보고자 한다.

1) 수업요령

좋은 수업이란 무엇보다도 학생들이 적극적으로 참여하는 수업을 뜻한다. 따라서 좋은 수업을 진행하기 위해서는 수업의 모든 과정에서 학생의 참여를 적극 권장하는 방식으로 이루어져야 한다. 이 항에서는 좋은 수업을 진행하기 위한 유의 사항을 간략히 정리하여 제시하고자 한다.

(1) 동기유발

(가) 동기유발의 방법

① 현재의 동기를 과거의 동기와 결부시켜야 한다.
② 암시는 학습자가 가지는 최대의 흥미와 일치시켜야 한다.
③ 활동에 참가하는 것을 장려하여야 한다.
④ 학습자가 성실하기를 바란다면 교사 자신이 성실하여야 한다.
⑤ 강한 감정의 표현을 서슴치 말아야 한다.
⑥ 학습자의 영웅 숭배심을 이용하여야 한다.
⑦ 사회적 압력의 힘을 이용하여야 한다.
⑧ 학습자가 느끼지 못하는 필요는 느낄 수 있도록 유도해야 한다.
⑨ 지위에 대한 욕구를 이용하여야 한다.
⑩ 벌은 학생 자신을 위해서 가하여야 한다.
⑪ 상은 벌보다 유효하다. 그러나 상은 하나의 수단에 지나지 않는다고 확신될 때만 사용하여야 한다.
⑫ 적절한 실례를 들어야 한다. 실례는 말보다 더 효과가 있다.
⑬ 동기유발에는 학습자의 성장과 성숙에 따른 고려를 잊지 말아야 한다.
⑭ 동기유발에는 목표가 필요하다. 목표가 명백할수록 행동은 한층 더 강하게 동기화된다.
⑮ 진보의 정도를 알려주는 일은 학습을 촉진시킨다.
⑯ 가급적 여러 가지 방식으로 자기 표현의 기회를 만들어 주어야 한다.

(2) 질문과 응답

(가) 교사의 질문에서 유의할 점

① 학습 계획에서 이탈된 질문을 하지 않도록 해야 한다.
② 질문을 몇 사람에게만 한정하지 말고, 가급적 많은 학생들에게 질문을 해야 한다.
③ 질문에 대한 답이 오답인 경우, 감각적 반응을 하여서는 안 된다.

④ 질문은 학생이 지닌 경험이나 지식의 범위 내에서 해야 한다.
⑤ 학습 내용의 이해 여부를 확인하기 위하여 "질문이 있느냐?"는 식으로 물어서는 안 된다. 흔히 학생들은 이해하지 못한 경우에도 반응을 나타내지 않기 때문이다.
⑥ 학생 상호간의 질문과 대답을 억제하여서는 안 된다.
⑦ 교사가 어떤 방법의 해답을 원하는가를 분명히 지시해야 한다(비교하라, 분류하라, 요약하라, 정의하라 등).
⑧ 질문은 원칙적으로 반복할 필요가 없으며, 교사의 말을 잘 듣도록 강조해야 한다.
⑨ 교사는 학생의 질문에 대답이 막혔을 때에 "모르겠으니 알아보겠다"는 말을 주저하지 말아야 한다.

(나) 학생의 대답에 대한 교사의 태도

① 기억을 요구하는 질문의 해답에 대해서는 승인이나 불승인을 명백히 하며, 반성적 사고에 의한 해답의 경우에는 다른 학생에게 다시 지명하거나 토의하여 해결하는 것이 좋다.
② 시인된 해답에 대해서 긍정적 태도를 갖는 것이 좋다.
③ 학생의 해답에 대해서 동정적 태도를 갖는 것이 좋다.
④ 해답을 들으면서 학생의 흥미와 사고 과정을 발견하도록 하는 것이 좋다.
⑤ 해답에서 많은 학생들이 범하는 일반적 오류를 알아내야 한다.
⑥ 불완전한 해답에 대해서는 학급 전체에서 평가를 하며 시정하는 것이 좋다.
⑦ 학생이 해답하는 도중에는 조언하지 않는 것이 좋다.

(3) 칠판사용과 판서

(가) 판서에서 유의할 점

① 판서 사항은 미리 학습 지도안에 기록하였다가 어떤 항목을 칠판의 어느 위치에 쓸 것인가를 정하여 둔다.
② 판서의 글씨는 되도록 정자로 한글을 사용하되, 불가피한 경우는 괄호 안에 한자나 영어를 써넣는 것이 좋다. 교사의 일거일동이 학습자에게 영향을 주기 때

문이다.

③ 글씨의 크기는 저학년일수록 크고 고학년일수록 작게 쓰는 것이 좋으며, 맨 뒤의 사람도 보이도록 똑똑히 써야 한다.

④ 판서는 지도 내용의 설명을 길게 많이 쓰는 것이 아니라, 내용의 요점을 짤막하게 요약하여 쓴다.

⑤ 판서할 때는 그 내용이 교사에 의해 가려지지 않도록 그 위치에 주의해야 한다.

⑥ 판서 사항을 학생들이 필기할 때 필기할 시간적 여유를 따로 주는 것보다는 되도록 들으면서 쓰는 훈련을 쌓도록 하는 것이 좋다.

⑦ 교사도 판서와 설명을 구별하지 말고, 설명하면서 요점을 정리, 판서하는 것이 좋다.

(4) 정보통신(ICT)활용 교육 관련 자료의 활용

(가) 정보통신활용 교육 관련 자료 활용상의 유의점

① 정보통신활용 교육 관련 자료의 활용은 학습을 능률적으로 이끌어 가는데 목적이 있음을 잊지 말아야 한다.

② 정보통신활용 교육 관련 자료의 활용은 학습 경험을 풍부히 할 뿐만 아니라 학생의 자기 주도적인 학습 능력을 길러주기 위한 것이므로 각 교과에 따라서 그 비중이나 비율을 적절히 고려할 필요가 있다.

③ 정보통신활용 교육 관련 자료가 지니고 있는 문제의 내용과 학생의 학습 활동의 상황을 감안하여 필요한 시기와 시간을 선택하여야 한다.

- 학습의 도입
- 전개 때 있어서의 문제의 해명
- 결론 도출
- 학습 정리

이들 중 적절한 영역에서 적절한 시간만큼 정보통신교육을 실시하여야 한다.

④ 정보통신활용 교육에서는 문제의 성격에 따라 다양한 소프트웨어-워드프로세서, 데이터베이스, 스프레드시트, 그래픽 소프트웨어, 웹, 통신 소프트웨어-등

을 사용할 필요가 있다.

⑤ 정보통신활용 교육에서 학생들의 관심이 교육외 영역으로 빠져나가지 않도록 사전 · 사후 지도를 계획적으로 수립하여 실행해야 한다.

(5) 칭찬과 질책

(가) 학습 장면에서 교사가 삼가야 할 말들

① "이런 나쁜 학급은 내가 보지 못했다."
② "이렇게 많은 문제아가 있는 학급은 처음 보았어…"
③ "우리가 학교 다닐 때는 너희들 같지 않았는데…"
④ "요즈음 대부분의 학생들은 학교 일에 도무지 관심이 없어…"

(나) 칭찬과 질책

① 칭찬은 가급적 학생들 앞에서 하는 것이 좋다. 그러면 본인은 물론 다른 학생에게도 장려하는 일이 되기 때문이다.
② 한 학생에게만 치우친 칭찬을 하는 일은 삼가는 것이 좋다.
③ 칭찬은 그 일이 끝난 즉시 하는 것이 좋다.
④ 질책은 학생들 보는 앞에서 하지 말고 일대일로 조용히 얘기하는 것이 좋다.
⑤ 질책은 교사의 감정에 치우치지 말고 학생의 편에 서서 잘못을 이해시키는 것이 좋다.

(6) 학생반응 통찰

(가) 교사가 수업 중에 유의할 점

① 교실의 분위기나 학습자들의 활동은 명랑한가?
② 학습자와 교사간에는 자유로운 분위기로 활발한 학습이 이루어지고 있는가?
③ 학습자는 학습 목표를 의식하고 충실하게 학습하고 있는가?
④ 학습자 상호간에 협력 · 협조의 태도가 보이는가?

⑤ 학습자는 의욕을 가지고 자발적으로 학습하고 있는가?
⑥ 이해의 순서나 방법이 합리적이고 능률적인가?
⑦ 학습자의 발표 태도나 그 방법은 적절한가?
⑧ 학습자가 학습내용의 초점을 파악하고 있는가?

2) 연구수업과 평가회

이 항에서는 연구수업의 의의와 목적, 수업 계획, 연구수업을 위한 준비 사항, 그리고 참관 방법 등에 대해 간략히 살펴보고자 한다.

(1) 연구수업의 의의와 목적

연구수업이란 수업 자체에 대한 연구·검토·평가를 받는 기회를 갖기 위해 실시하는 것으로, 시범적이고 공개적인 실연수업이다.

이 연구수업의 실시는 교육실습기간이 종료되기 전에 교생 중에서 모범적인 사람을 선정·실시하게 된다. 따라서 이 연구수업을 통해서 교육방법에 대한 구체적인 지도를 받게 되며, 교장 또는 교감을 비롯하여 지도교사와 학생들이 참관하게 되고, 연구수업이 모두 끝나게 되면, 평가회를 열어서 실제수업에 대한 다각도의 상호비판·평가를 주고 받게 된다. 그러므로 연구수업을 실시하는 목적은 보다 효과적인 「수업」을 위한 실험적인 수업이라고 할 수 있으며, 교생 전원에게 구체적인 학습방법, 수업방법을 재확인 해 주려는 좋은 기회를 제공해 주기 위한 것이다.

(2) 연구수업의 계획

(가) 사전계획

① 연구문제의 설정
㉠ 학급 담임 교사가 가장 관심을 많이 가지고 있는 문제
㉡ 해당 학급에서 크게 성과가 기대되는 문제
㉢ 전체 학급의 문제로서 해결해야 할 문제

㉣ 교내 교사 대다수가 필요로 하는 문제
㉤ 학교 전체에서 해결해야 할 문제
㉥ 학습자의 성장 발달에 적합한 문제
㉦ 그 지역 사회의 특이할 만한 문제

② 문제선정상의 유의점
㉠ 학습자의 경험 · 생활 · 요구 및 목적에 적합한 것인가?
㉡ 학습자의 능력에 알맞은 것인가?
㉢ 교재 내용의 논리적 계열이나 사회적 요구에 적합한 것인가?

③ 사전실태조사
㉠ 학습 문제나 자료에 대해서 학습자의 흥미나 관심은 어느 정도인가?
㉡ 학습 내용에 대해서 어느 정도 지식 · 경험 · 기능을 가지고 있는가?
㉢ 어떤 학습 활동을 좋아하는가?
㉣ 학습 내용을 습득하는데 무엇이 방해가 되는가?
㉤ 어떠한 내용에 의문을 가지고 있는가?
㉥ 학습자는 어떠한 요구와 어떤 학습 내용을 원하는가?
㉦ 학습의 자료나 재료를 학습자 자신이 준비할 수 있는가?

(나) 수업실시의 계획

① 구체적 학습계획
㉠ 학습지도안 작성에 있어서 교재의 전체 지도에 대한 가장 적절한 시간계획 수립
㉡ 수업 시간의 지도 목표와 예상되는 학습 활동 고려
㉢ 학습자의 질문의 예상과 그 처리에 대한 구상
㉣ 학습자의 흥미 지속을 위한 분위기 조성
㉤ 학습 활동이나 작업의 변화 및 곤란도 배려
㉥ 학습자의 창의성과 자율성의 보장

ⓢ 교사의 조언과 판서 사항

② 수업 중 계획의 변경

㉠ 학습자의 흥미 · 요구 · 능력 · 창의성 등에 비추어 적합하지 않거나 효과가 예상되지 않을 때는 수업 도중 계획을 변경한다.

㉡ 계획 변경은 교육적 가치를 충분히 고려하고, 교육 목적과도 부합되는 범위 내에서 이루어져야 한다.

(다) 연구수업을 위한 준비

① 교실환경의 관리

㉠ 교실내의 모든 비치물의 정리 정돈(게시물, 흑판, 청소함, 책상, 액자, 화분 등)

㉡ 수업에 필요한 자료와 교구 등의 정리

㉢ 연구 수업 과정의 기록을 위하여 녹음기, 사진기 및 연구 수업 기록부 등의 준비

② 각종 유인물의 준비

㉠ 연구 수업 안내서

㉡ 연구 수업 프로그램

㉢ 연구물 등의 자료

㉣ 학교 수업안

㉤ 학급 수업안

㉥ 연구 수업 반성회의 요령

㉦ 연구 발표회 안내서

③ 연구수업참관자의 주의사항

㉠ 수업이 시작되기 직전에 교실에 들어와야 한다.

㉡ 수업 도중 잡담을 금하고 출입을 되도록 금해야 한다.

㉢ 교사의 수업 방법상의 결함이나 실수에 대해서 비웃는 태도를 보이지 말아야

한다.

㉣ 학습자의 노트나 교과서를 들추어보는 일도 삼가야 한다.

㉤ 학습자에게 가르쳐 주거나 조언 또는 도와주어도 수업에 방해가 된다.

㉥ 참관 중에는 공동 연구의 입장에 서서 시종 참관에 임해야 한다.

④ 참관검토요령

〈학습지도안검토〉

㉠ 학습 지도안 전체가 실제 수업에 적합한가?

㉡ 학습의 장기 계획에서 발전한 분절이 되어 있는가?

㉢ 단원별 시간 계획은 잘 되어 있는가?

㉣ 단원 선정의 이유는 타당한가?

㉤ 학습지도의 목표는 타당한가?

㉥ 목표 달성을 위한 학습활동은 적당하며, 구체적 경험이 중요시되고 있는가?

㉦ 특별 활동과 관련이 있는가?

㉧ 지식, 기능, 태도, 능력 등의 발전을 도모할 수 있는가?

㉨ 토의 자료나 형식 또는 연구 문제는 유용하게 이용될 수 있도록 준비되어 있는가?

㉩ 평가는 유효하게 활동하도록 계획되어 있는가?

〈학습자 및 환경의 관찰〉

㉠ 학습 환경이 잘 정비되어 있는가?

㉡ 안정감을 줄 수 있는 교실인가?

㉢ 학습 자극을 일으킬 만한 학습 자료가 정비되어 있는가?

㉣ 교실이 학습자들이 꾸민 동적인 환경으로 되어 있는가?

㉤ 교사의 위치, 언어, 동작, 복장, 태도와 학습자의 좌석 배치 등이 잘 되어 있는가?

㉥ 학습자와 교사간에 자유롭고 명랑한 학습 분위기가 조성되어 있는가?

㉦ 학습자가 학습 목표를 의식하고 충실하게 학습하고 있는가?

㉧ 학습자 상호간에 협력, 관용, 상조의 태도가 있는가?

㉨ 학습 의욕을 가지고 자발적인가?

㉩ 학습 내용의 이해, 순서, 방법이 합리적이고 능률적인가?
㉪ 발표 태도나 반응은 양호한가?
㉫ 학습 용구 · 자료는 충분히 갖추어져 있으며, 그 활용 방법은 적절한가?

2. 학습지도안

이 절에서는 학습지도안의 구성 요소와 작성 방법에 대해 간략히 살펴보고자 한다.

1) 학습지도안의 구성내용

학습지도안은 종전에는 교수안 또는 교안으로 불리기도 하였다. 또 학습안, 보도안이라고도 하며, 교수지도안, 생활보도안, 학습전개안 등으로 호칭되어 왔다. 그러나 오늘날은 일반적으로 학습지도안 또는 수업지도안으로 불린다.

이렇듯 학습지도안의 명칭이 다양한 것처럼 학습지도안의 서식도 일정하지 않다. 교육청이나 학교마다 선호하는 양식이 있으며, 교과마다 더 적절한 양식이 있다. 이러한 차이에도 불구하고 일반적으로 채택되고 있는 서식 중에서 단원의 설정, 단원의 요지, 단원의 목표, 단원 학습의 계획 등에 대해서 간략히 기술하면 다음과 같다.

(1) 단원의 설정

학습지도안의 작성에서 가장 문제되는 것은 단원의 크기, 즉 범위를 어떻게 정하느냐 하는 것이다. 그것은 지도하는 사람의 견해에 따라 넓게도 좁게도 결정할 수 있다. 예를 들면, '우리 나라의 농업', '우리 나라의 공업', '우리 나라의 수산업'이라는 세 가지 교재가 있을 때 이것을 각각 하나씩만 택하여 단원을 설정할 수 있다. 그러나, 모두 한꺼번에 포함시켜서 "우리 나라의 산업"이라는 큰 단원, 즉 대단원으로 묶을 수도 있다. 그러나 최근에는 교육과정 구성의 동태에 따라 소단원에서 대단원으로, 즉 분과적이고 단편적인 것으로부터 종합적이고 통합적인 것으로 광범위하게 다루어 가는 것이 일반적인 경향이다. 단원의 범위를 좁게 설정하면, 일관된 학습 지도를 진행시키기 어렵고 전후 관계의 관련성을 유지하기가 힘들며, 통합적인 학습결과를 기대하기 어렵기 때문이다.

(2) 단원의 요지

이것은 단원 또는 제재의 개요를 요약하여 기술하는 것으로,

① 이 단원은 현대 사회 생활에서 어떤 의의를 가지고 있는가?

② 학습자의 생활경험이나 그들의 필요 또는 요구와 어떠한 관계가 있는가?

③ 어떠한 의도로 선정되었는가?

④ 다른 단원과는 어떠한 관련이 있는가?

등에 대하여 그 요지를 간단하고 명료하게 진술한다.

(3) 단원의 목표

이 단원을 학습함으로써 도달되어야 하는 단원 학습의 직접적인 목표를 구체적으로 기술한다. 학습 목표는 일반적으로 이해, 기능, 태도 등의 세 가지 영역으로 구분해서 쓴다. 여기에서 이해는 단원 학습을 통한 지적인 인식을 말하며, 기능 또는 능력은 사물을 처리하고 문제를 해결하는 힘을 말한다. 그리고 태도는 학습 결과로 획득된 효과가 학습자의 생활 습관이 되고 행동화되어, 나아가서는 성격형성에 영향을 미치고 생활에 응용되기까지의 상태를 말한다.

(4) 단원 학습의 계획

이것은 학습 활동이 전개되는 학습 과정을 적당한 몇 단계로 구분해서 그 학습장면의 단계에서 시간을 배당하고 학습 활동의 형태를 구성하는 것이다. 일반적으로 ① 학습 활동의 도입 단계, ② 학습 활동의 전개 단계, ③ 학습 활동의 종결 단계의 세 단계로 나누는 것이 편리하다. 그리고 학습 과정의 단계는 다시 세분하여 전개시켜도 무방하다. 이 학습의 전개 단계에 대한 구분 방법은 다양하다. 허버트(Herbert)는 예비, 제시, 비교, 총괄, 응용의 다섯 단계로 나누었고, 길패트릭(W. H. Kilpatrick)은 구안법에서 목적, 계획, 수행, 평가의 네 단계를 채택하였다. 오늘날 채택하고 있는 학습 과정의 단계는 일정하지 않은데, 대체로는 도입, 전개, 종합, 평가, 발전의 다섯 단계로 전개시키는 것이 일반적인 경향이다.

학습지도안의 서식을 몇 가지 소개하면 대체로 다음과 같은데, [보기 3]의 서식이 학습계획의 목적에 부합되며, 과학적이고 역동적인 성격을 반영시킬 수 있는 종합안으로서의 장점을 갖춘 것이라 하겠다.

[보기 1] ○○과 학습 지도안

년 월 일 교시

단원명 지도자 ㉧

① 본시의 위치
② 본시의 목적
③ 자료
④ 학습 활동 과정
⑤ 정리(본시 학습 경험의 요약, 개괄)

[보기 2] ○○과 학습 지도안

년 월 일 교시

단원명 지도자 ㉧

① 과업의 위치
② 이 과업에서 달성할 목표
③ 예상되는 학습 활동의 예
④ 학습 전개에서 각 활동이나 연습에 필요한 시간 할당
⑤ 활용할 교구나 교재
⑥ 학습 방향을 제시하고 혹은 학습 활동의 총괄에 필요한 질문 준비
⑦ 원리를 명확하게 이해시키기 위한 예증 준비
⑧ 개인차에 따른 숙제 준비
⑨ 평가 방법
⑩ 발전(다음 학습으로의 전개)

[보기 3] ㅇㅇ과 학습 지도안

일 시
장 소
대 상
지도자 ㉤

① 단원명

② 단원 설정의 이유

㉠ 학습심리의 경향에서 – 학습의 필요와 흥미상의 적부,

㉡ 학습 경험 발전상의 적부,

㉢ 사회적 욕구에의 적부,

㉣ 단원 학습지도상의 적부를 분류 혹은 종합적으로 진술한다.

③ 단원 학습의 목표

㉠ 이 단원 학습을 통하여 이해하여야 할 점,

㉡ 이 단원 학습을 통하여 연마될 기술, 기능,

㉢ 이 단원 학습을 통하여 갖추어야 할 태도를 진술한다.

④ 학습 지도 내용 및 지도상의 유의점 : 요약하여 조목별로 명기한다.

⑤ 학습계획(시간, 또는 분)

문 제	시 간 배 당	관 련	자료 및 준비

㉠ 관련은,

첫째, 단원간의 관련으로서

• 당해 교과 단원간의 관련,

• 동일 학년간의 관련,

• 타 학년과의 관련을 기입한다.

둘째, 교과간의 관련, 즉 다른 교과와의 관련을 기입한다.

셋째, 특별활동, 기타의 행사, 생활과의 관련을 기입한다.

㉡ 자료 및 준비는,

· 교과서,

· 동적, 종적인 환경을 말한다.

따라서 참고 도서는 물론, 제반 실습 기구나 시청각 기제 등도 이에 포함된다.

⑥ 평가

학습 활동의 전, 중, 후를 통하여 이해, 기능, 태도 등을 평가한다.

⑦ 지도과정

㉠ 본시의 주안점

㉡ 지도순

과 정	연 구 문 제	학 습 활 동(동 태)		적 요
		교 사	학 생	
도 입				
전 개				
정 리				
평가·발전				

⑧ 차시예고

단원의 지도계획에 따라 학습의 중심 내용을 예고하여 학생들이 다음 수업을 사전에 준비할 수 있도록 해 준다.

위의 [보기 3]에서 ①~⑥까지는 이 단원에서 설정한 학습 내용, 즉 단원 전체에 대한 지도계획으로서의 지도안의 기술이고, ⑦은 ⑤에서 계획한 학습 계획에 따라 그 시간에 전개되는 지도과정을 의미한다. ② '단원 설정의 이유'는 종전의 지도안 서식에서 기술하던 교재관, 학생관, 그리고 지도관을 종합한 것이라고 할 수 있다.

따라서 지도자가 가지고 있는 교재관, 학생들의 현재의 위치라든가 흥미 등을 이해하는 학생관, 학생들의 학습에 대한 요구 수준에 따른 지도관 등으로 나누어 기술해도 좋다. 반드시 지도안의 서식에 구애받을 필요는 없다.

2) 학습지도안 작성의 요령

학습지도안이 갖추어야 할 구비요건과 더불어 지도안 서식에 대하여 간략히 살펴보았다. 그러나 전술한 바처럼 학습지도안은 결코 일정하게 판에 박힌 형식이나 내용을 요구하지는 않는다. 그러나 단원 전개를 위해 어떠한 서식에 따라 어떤 지도안을 작성하든지, 훌륭한 지도안은 다음의 요건을 갖출 필요가 있다. 즉, 수업의 초점이 명료하고 성공률이 높으며, 시간이 남거나 모자라지 않고, 학생의 활동이 최대한으로 보장되는 것으로서,

① 예상했던 학습 목표 달성에 대하여 설명되어 있어야 한다.
② 이미 학습한 사항과 연결되어 있어야 한다.
③ 교재의 조직, 학습 과정의 조직, 학습활동의 선택과 조직이 되어 있어야 한다.
④ 학습 진행의 형태에 맞는 지도 기술이 제시되어 있어야 한다.
⑤ 학습 목표 달성의 성공도에 대하여 적절한 평가 방법이 준비되어 있어야 한다.
⑥ 앞으로의 학습에 관련되도록 계획되어야 한다.

이러한 성질을 갖추어야 할 지도안의 서식은 앞에서 말한 바와 같이 결코 일정한 서식이나 고정된 형식에 따라 작성되는 것이 아니다. 학교 교육의 모든 계획들을 배경으로 하여 그 시간에 학습자를 대상으로 구체적인 교과나 교재의 성질에 따라 실질적인 학습 환경에 맞도록 작성하면 된다.

따라서 학습지도안은 동일한 학습 자료를 가지고 지도한다고 해도 교사의 지도 방법이 다양하듯이 여러 가지 방법으로 작성 가능하다. 지도안은 교사의 창의성과 독창성에 의해 작성될 수 있는 것이므로, 지도 원리에 위배되는 것이 아니라면 어떠한 방법도 교육적인 지도 계획안으로 활용할 수 있다.

그러나 어떠한 지도안을 작성하든 몇 가지 유의하여야 할 점이 있다. 그것은 모든 학습지도안은 "교육의 목적에 대한 서술부터 시작하여 학습의 문제로 발전한다. 또, 그 문제의 해결 과정을 통해서 학습 내용에 부여하여야 할 학습 재료를 배열하고, 그에 따라 예상되는 학습 활동의 순서를 배열한다. 또 그에 의하여 학습자의 학습 경험을 확대하려는 것이 지도안을 작성하는 기초가 된다"는 것이다. 이런 관점에 따라 각 항목별로

학습지도안 작성의 요령을 살펴보기로 한다.

(1) 학습목표

학습목표는 일반목표와 특수목표로 나눌 수 있다. 일반목표는 일정한 학습 기간을 통하여 전 학습 활동의 과정에서 성취되어야 할 목표를 개괄적으로 기술하는 것이며, 특수 목표는 이를 학습을 통해서 달성되는 목표를 구체적으로 진술한 것이다.

일반목표가 교과서의 내용에서만 추출되거나 지식 내용의 습득만을 문제로 하는 경우에는 특별히 분절된 목표를 기술할 필요는 없다. 그러나 학습목표를 인간 형성이라는 면에서 추구하고 현실 사회와의 대응을 학습을 통해 이루고자 할 때는, 그 일반목표를 하루 또는 한 시간의 학습 지도의 목표로 제시할 수가 없다. 그 뿐만 아니라, 지도안에 이와 같이 추상적인 목표를 기재하는 것은 학습자의 목표 달성에도 별로 영향을 끼치지 못한다.

학습에 임하기 전에 교사는 이번 시간에 학생에게 무엇을 가르쳐야 할 것인가 하는 것을 미리 생각하여야 한다. 교사는 누구나 학습에 임하기 전에 가르칠 내용을 구체적으로 계획하지 않음으로써 가르침의 목적을 효율적으로 달성하지 못하는 경우가 있다. 이러한 모순점을 시정하고 보다 효율적인 학습을 시도하려는 방법이 학습목표의 구체적 진술이다.

(가) 학습목표의 진술

① 학습목표는 학습 경험의 조직과 지도에 구체적인 시사를 줄 수 있는 정도로 구체적이고 명료한 행동적 용어로 진술되어야 한다.
② 진술된 전체 목표는 포괄적이어야 한다.
③ 진술된 학습목표 속에는 통일성, 일관성이 있어야 한다.
④ 진술된 학습목표는 실현가능성이 있는 것이어야 한다.
⑤ 진술된 학습목표는 모든 교사와 학생이 이해하고 받아들이고, 교육적 직무 수행과 더불어 수행가능해야 한다.

(나) 목표진술에 필요한 조건

① 수업에 의해 나타나기를 기대하는 종착 행동의 확인
② 행동이 발생하는 것을 전제로 할 때의 중요한 조건의 예시
③ 종착 행동의 성취가 어느 정도 정확할 때, 목표가 달성되었다고 판정할 수 있는가의 준거의 제시

이에 따른 목표진술에 대한 두 가지 예를 들어보면 다음과 같다.

① 한 개의 미지수로 된 일차방정식이 주어졌을 때, 학생은 참고서나 계산기에 의존하지 않고 그 미지수를 풀 수 있다.
② 중요한 역사적 사건의 원인이 되었던 요인의 목록이 주어졌을 때, 학생은 1929년의 경제공황에 영향을 준 5개의 요인을 적어도 선택할 수 있다.

(다) 목표 진술의 명시적, 행동적 용어

행동 목표는 직접 관련될 수 있으며, 의사소통이 분명하도록 명시적 용어로 진술되어야 한다. 명시적 용어와 묵시적 용어의 예를 들면 다음과 같다.

〈 묵시적 용어 〉	〈 명시적 용어 〉
여러 가지로 해석할 수 있는 용어	해석의 범위가 좁은 용어
· 안다	· 쓴다
· 이해한다	· 읽는다
· 진실로 이해한다	· 구별한다
· 인식한다	· 확인한다
· 충분히 인정한다	· 푼다, 해결한다
· ~의 의미를 파악한다	· 작성한다
· 즐긴다	· 열거한다
· 믿는다	· 비교한다
· ~을 신뢰한다	· ~대로 한다

(라) 종착 행동을 기술한 목표(예)

① 학생은 태양계 주위의 떠돌이별의 이름을 댈 수 있다.
② 학생은 문예부흥과 종교개혁 간의 차이를 구별할 수 있다.
③ 학생은 신체의 주요 조직을 열거할 수 있다.
④ 학생은 괴테의 시를 이해할 수 있다.
⑤ 학생은 고딕 건축의 미를 감상할 수 있다.
⑥ 학생은 당시의 구라파의 정치적 발달이 불란서 혁명에 미친 영향을 파악할 수 있다.

(2) 학습내용

학습목표가 구체적으로 진술되면 다음에 그 목표를 달성하는 데 적합한 지도 내용을 선정해야 한다. 그러나 우리가 전개하는 학습 문제는 이미 결정되어 있기 때문에 학습자의 성장이나 발달에 유익한 학습 내용을 지도자가 판단하여 선정해야 할 것이다. 이미 예정된 교과나 교재에 구애받을 필요가 없는 것이다. 우리의 생활 주변에 널리 흩어져 있는 문화재나 기타의 생활 문제를 학습 내용으로 목표에 적합하도록 선택해야 할 것이다. 이렇듯 폭이 넓은 문화재는 다만 교과서나 참고서에만 실려 있는 것이 아니므로, 생활 주변에서 설정된 교육 목표를 달성하도록 노력해야 한다. 이들 문제를 모두 해결할 수는 없으나 정해진 교재 즉, 단원을 전개시키는데 있어서 다음의 네 가지를 고려하여야 한다.

① 학습자가 교재에 대해 갖고 있는 지식이나 기능의 조사
② 학습자가 교재에 대해서 느끼고 있는 필요의 분석
③ 학습자가 교재에 대해 갖고 있는 흥미의 분석
④ 학습자가 현재 이르기까지의 이미 습득한 학력 조사

이런 많은 조사 연구로 얻어진 결론을 토대로 하여 학생들의 발달정도 즉, 학습의 요구 수준에 맞는 내용을 선택해야 할 것이다.

(3) 학습활동

학습활동은 학습 목표나 학생의 필요를 기초로 하여 조직적으로 전개되는 활동이다. 따라서 단순한 활동 그 자체만으로는 가치가 없고, 목표를 달성하기 위한 수단으로 전개되어야 비로소 가치를 지니게 된다.

학습지도안은 학습 목표에 따라 학습 내용을 정하고, 다시 학습 활동에 이르기까지 하나의 논리적인 계열에 따라 작성되어야 한다. 그런데 전통적인 지도안은 일정한 교과목에 의한 지적 활동이 대부분을 차지하고 있어서 변화도 없고 창의성도 없었다.

그러나 현대적 의미의 학습 활동은 그것으로 만족할 수는 없다. 왜냐하면 오늘날의 학습은 고정된 교과를 다루는 것이 아니고 평범한 생활 영역에 걸쳐 생활화된 학습 활동을 지향하므로, 인간 생활의 모든 영역에 걸쳐 학습 범위가 확대되고, 활동의 종류가 다채로와져야 하기 때문이다. 또 거기에서 제기되는 모든 학습 문제는 결코 일정한 활동 방법이나 해결 양식에 따라 해결되지는 않는다. 그러므로 교사는 되도록 포괄적인 활동을 전개시킴으로써 학습자의 경험을 확대시킬 수 있는 최선의 학습 활동 계획을 설정하도록 유념해야 할 것이다. 이에 준하여 다음과 같은 학습 활동을 들 수 있다.

① 시각적 활동 : 영화, 회화, 모형, 지도, 연극 등을 보는 활동
② 청각적 활동 : 라디오, 레코드, 설화, 보고, 강연 등을 듣는 활동
③ 언어적 활동 : 시의 낭송, 조사 · 연구의 결과보고, 토론회 등의 활동
④ 쓰는 활동 : 시, 희곡, 도표 등을 쓰고 그리는 활동
⑤ 제작 활동 : 모형, 조각 등을 만드는 활동
⑥ 지적 활동 : 조사, 연구, 실험, 측정, 탐색, 검증, 비교, 추리, 계획, 조직 등의 활동

이들 활동을 과제나 내용에 따라 선택하는 기준은 다음과 같다.

① 학생들이 즐겁게 자발적으로 심신 전체를 움직여 종사할 수 있는 활동이어야 한다.
② 활동의 종류가 한 가지 활동에 편중되지 않도록 풍부하고 포괄적이어야 한다.
③ 지식, 기능, 태도, 능력이 균형적이며, 능률적으로 촉진되는 활동이어야 한다.
④ 개인적인 활동 뿐 아니라 집단적인 협동 활동도 중시되어야 한다.
⑤ 자치 활동이나 클럽 활동, 가정이나 지역 사회에 있어서의 활동 등 교과 이외의 활동도 포함시킬 수 있어야 한다.

이와 같은 활동을 학습의 시기와 종류에 따라 종횡으로 구사할 수 있어야 학습지도안의 성과를 극대화할 수 있을 것이다.

3. 평가

이 절에서는 학습지도안과 실제수업에 대하여, 그리고 예비 교사인 교생들이 행하는 연구수업의 평가 방안에 대해 간략히 살펴보고자 한다.

1) 학습지도의 평가 요령

(1) 준비

(가) 지도안

① 실천안이 자세히 짜여졌는가?
② 교재 연구는 어느 정도로 되어 있는가?
③ 계획된 분량과 시간 배당은 알맞게 되어 있는가?
④ 지도안의 내용은 학생의 흥미, 욕구, 능력에 맞게 짜여졌는가?
⑤ 대 · 소단원, 다른 교과, 다른 학년과의 관련은 어떻게 짜여졌으며, 학습활동의 진행에는 일관성이 있는가?

(나) 환경

① 교실의 정리 정돈, 채광, 환기, 분위기는 학습 활동을 돕게끔 관심을 두고 있는가?
② 평면적 환경과 입체적 환경은 어느 정도 구성되어 있는가?
③ 교재 교구는 어느 정도 준비되어 있으며, 그 위치는 적당한가?
④ 구성된 환경과 실제 수업과의 관계는 어느 정도인가?
⑤ 문단 조직은 그 수업과 어느 정도로 관계를 가지고 짜였는가?
⑥ 교재 교구를 준비하는 데 있어서 교사 · 학생이 어느 정도로 창의성을 발휘했는가?

(2) 실제수업

① 휴식시간에서 공부 시간으로의 전이가 자연스럽게 짜여 있는가?
② 도입의 방법은 적당하였는가?
③ 도입에서의 학생의 욕구는 어느 정도 고려되었으며, 학생의 학습 의욕이 잘 유발되었는가?
④ 도입에서 주된 활동 · 발전 · 평가로의 진행은 자연스럽고 서로 관련 깊게 진행되었는가?
⑤ 첫 시간과 끝마감의 시간은 잘 지켰는가?
⑥ 지도안은 실제 수업과 어느 정도 합치되었는가?
⑦ 한 시간 끝에 그 시간에 학습한 내용이 요령 있게 끝맺어졌는가?
⑧ 교사는 열성 있고 적극적으로 활동하며 책임을 완수하였는가?
⑨ 지도 방법이 학생의 연령 정도에 적합하며 책임을 완수하였는가?
⑩ 교수 용어는 정확하며 조리 있게 계획적으로 잘 되었는가?
⑪ 판서는 정확하며 조리 있게 계획적으로 잘 되었는가?
⑫ 지도 방법은 어느 정도 흥미를 북돋았는가?
⑬ 학생의 경험을 어느 정도 활용시켰으며, 어느 정도의 깊은 관계로 지도하였는가?
⑭ 교사의 언동은 학생이 바라는 사랑의 욕구를 충족시키고 있는가?
⑮ 교사의 음성은 그 분위기가 학생의 피로를 적게 함에 적당하였는가?
⑯ 교사는 학생의 의견을 어느 정도 존중하였는가?
⑰ 교사의 위치는 적당하였는가?
⑱ 교사는 위생에 어느 정도 주의하였는가?
⑲ 교사는 학습에 있어서 안전성을 어느 정도 유지하였는가?
⑳ 학생의 활동을 효과적으로 유발시켰는가?
㉑ 개별 지도와 개성의 발휘는 어느 정도 이루어졌는가?
㉒ 학생의 활동 비율은 적절하였는가?
㉓ 한 시간 내에 어느 정도 학생을 활동시켰는가?
㉔ 분단 활동에서 불참한 학생 중 실망자는 없었는가?
㉕ 학생의 자발적인 활동을 돕기 위하여 유의하였는가?

㉖ 학생의 답을 정확하게 잘 처리하였는가?
㉗ 학생의 답을 처리함에 있어서 그 인격을 존중하려고 노력하였는가?
㉘ 학생에 대한 질문의 방법은 적당하였는가?
㉙ 학생 상호간의 협조는 어느 정도 이루어졌는가?
㉚ 분단 조직은 그 수업에서 어느 정도 이용되었는가?

(3) 학습효과

① 학습은 교사가 바라는 바와 같은 결과를 맺었는가?
② 학생은 어느 정도 잘 이해하였는가?
③ 교사가 계획한 목적이 달성되었는가?
④ 교사가 택한 평가의 방법은 적당하였는가?
⑤ 학습내용이 어느 정도로 실생활에 활용되도록 지도 되었는가?

2) 연구수업의 평가와 반성

'연구수업 평가회 또는 협의회' 는 연구수업이 끝난 직후, 지도교사 및 참관교사, 교생이 합석하여 수업의 성과에 대한 장·단점, 보충해야 할 점, 시정해야 할 점, 수업태도, 방법, 기술 등에 대하여 자세하게 토의하고 평가를 하며, 그 결과에 대하여 반성하는 기회를 준다.

① 수업실시자의 소감 및 반성
② 수업실시자에 대한 질문
③ 토의 및 비평
④ 총평

등의 순으로 연구수업 평가는 끝나게 된다.

3) 학습평가

학습지도의 효과를 올리기 위해서는 학습 결과에 대한 객관적인 평가를 해야 한다.

학습지도안은 학습 목적을 효과적으로 달성하기 위하여 작성된 것이기는 하지만, 그 계획이 확실하게 수행되었는가, 어느 정도로 목표를 달성하였는가, 학습자의 발달은 어떤 점에서 인정할 수 있는가 등에 대하여 반성하고, 그 자료를 참고로 하여 새로운 지도안을 다시 작성할 필요가 있다.

종전에 실시되던 학습 평가는 정기적인 시험을 보는 것을 유일한 방법으로 삼았고, 평가의 결과는 성적표에 기록하는 것 외에는 별로 이용되지 않았다. 그러나 점차로 학습 평가는 학습자의 발달을 측정하되, 제반 측정 도구를 활용하여 다각적으로 학습 효과를 판정할 것이 요구되고 있다. 평가의 내용은 지식의 유무나 정오를 조사하는 것, 사고 방식이나 이해의 정도를 조사하는 것, 기능·숙련의 상태를 조사하는 것, 감상력을 조사하는 것 등 광범위하게 측정하여 인간 전체로서의 발달 정도를 파악할 수 있어야 한다. 그리고 이를 종합적으로 평가하여 얻은 결과를 정리하여

① 이 학습을 통하여 어떻게 성장, 발달하였는가?

② 학습 목표가 어느 정도로 달성되었는가?

③ 특수한 학생의 경우 어떠한 현상이 나타났는가?

등을 기술할 수 있도록 고려해 두어야 한다.

이상으로 학습지도안의 작성에서 참고하여야 할 주요 내용을 살펴보았다. 이밖에 다음 몇 가지 내용을 유의하여 학습 지도안을 구성한다면 더욱 그 체제를 확고하게 갖출 수 있을 것이다.

① 시간 배당 : 이것은 학습 계획에 관한 문제이다. 지도안의 작성에는 언제나 예정 시간이 따르게 마련이다. 교육 과정의 전체 계획에 따라 단원의 전개에 필요한 학습 시간을 배당하고, 예정된 시간에 적절한 학습 목표와 내용을 정해야 한다.

② 본시의 위치 : 이것은 본시의 주안점에 해당한다. 본시의 출발점 또는 전체 학습의 과정을 통한 본시의 위치를 밝히고, 전 시간까지의 진전 상황을 명시해야 한다. 그 시간 시간의 학습 활동이 단편적으로 전개되게 하지 않고, 학습 과정 전체의 흐름 속에서 본시 학습과의 관계를 명시함으로써 본시 학습의 성격을 뚜렷하게 밝혀야 하는 것이다.

③ 자료 : 학습 활동에서 이용하여야 할 시설이나 자료는 미리 활용할 장면을 예상해서 표를 작성해 두고, 그 시설이나 자료가 있는 곳을 미리 조사해 두어야 한다.

④ 과제 : 과제를 부과할 준비를 갖추고 있어야 한다. 종전에 숙제를 내주던 방식과 같이 강제적인 의무감을 부과시키는 것이 되어서는 안 된다. 학습 지도에 대한 연속적인 발전을 위해서 다음 학습을 예상하고, 자기의 문제로서 받아들이도록 해야 한다. 학습을 흥미 있게 진행시키면 학습자들이 자연히 다음 과제를 받아들이는 반응이 달라지게 될 것이다. 그리고 과제를 주는 시기는 학습의 시초에 주는 경우, 학습이 끝난 후에 주는 경우, 또는 필요할 때 부과하는 경우 등이 있다.

⑤ 정리 : 학습 지도가 끝난 후에 지도의 결과를 종합해서 기입하는 난을 마련해 둔다. 이것은 보다 발전적인 다음의 학습 지도안을 작성하기 위하여 학습이 끝난 후에도 그 결과를 참고할 수 있는 자료로 삼기 위하여 필요하다.

학습지도안에는 일정한 서식이 없으므로, 이상 살펴본 작성 요령도 반드시 그 순서에 따라야 하는 것은 아니다. 학습 과제의 특성이나 교사의 교육관 또는 학습자의 학습에 대한 요구 수준, 학습 환경 등에 따라 학습지도안은 융통성 있게 짜일 수 있을 뿐만 아니라 구성 요소 중에서 필요한 것만을 취사선택할 수 있다.

4) 학습지도안의 평가

학습지도는 학생이 학습하는 것만으로 그치는 활동이 아니다. 항상 학습 결과의 평가를 통해서 반성하고 앞으로의 새로운 방법을 모색해야 한다. 교사의 활동은 지도안을 작성하여 전개하고, 자신이 작성한 지도안에 대하여 반성하고 검토해야 한다.

준비된 지도안에 대한 적부는 실제로 학습 활동을 전개시킴으로써 판정될 문제이지만, 실제 활동의 단계에 들어가기 전에 다시 한번 검토해 볼 필요가 있다. 학습지도안을 재검토하는 기준은 다음과 같다.

① 가장 적당한 실례를 들 수 있는 자료를 준비할 것
② 적당한 질문을 준비할 것
③ 가장 적당한 목표를 선정할 것
④ 학습자의 능력, 흥미의 정도를 고려할 것
⑤ 교육과정 및 그 학년에서 요구되고 있는 것에 따를 것

⑥ 가장 좋은 학습과정을 선택할 것
⑦ 교과서에 있는 재료를 고려할 것
⑧ 전 시간의 학습과 결부시킬 것
⑨ 학습자들이 이미 습득한 지식을 고려할 것
⑩ 적당한 과제를 준비할 것
⑪ 숙제를 주는 경우에는 도서관의 보조 자료를 고려할 것
⑫ 주요한 흥미를 강조할 것
⑬ 학습 목표에 도달하기 위하여 논리적인 계열을 갖춘 활동으로 정비할 것
⑭ 학습 내용을 적당히 요약할 것
⑮ 지도안대로만 학습을 전개시키려 하지 말고, 때로는 학생들의 흥미 경향에 따라 변경할 수 있도록 탄력성 있는 계획을 세울 것
⑯ 지도과정의 각 단계에 배당할 시간을 예정할 것
⑰ 지도의 결과를 평가하는 기준을 준비할 것

이런 기준에 비추어 검토하고 시정한 후에 학습 활동을 전개하는 것이 학습지도안을 더욱 효과적으로 활용하는 방법이라고 볼 수 있다.

V 교생실습일지의 작성

이 장에서는 교생실습 과정에서 활용하게 되는 주요 교생실습 양식을 소개하고 양식 작성 원칙과 방법에 대하여 살펴보도록 한다.

1. 현장실습일지

현장실습일지는 교생실습의 계획, 실행, 평가의 전반적인 내용을 기록하는 일지로 교생실습생은 학급지도교사와 실습담당교사의 지도 아래 성실히 기록해야 한다. 학교현장실습일지는 교육실습생의 실습 실행 기록, 실습 평가 자료, 자기 성찰을 위한 자료로 활용한다.

1) 실습일지 작성의 원칙

① 실습일지는 실습내용과 실습생으로서 자기 성찰의 기록이므로 배우고 성찰하는 자세로 성실히 작성해야 함.

② 실습일지는 계획, 실행, 평가로 구성되어 있으며 각각의 실행에 따른 내용을 상세히 기록해야 함.

③ 지도교사의 평가와 피드백, 교육실습생의 자기 성찰과 성장을 위한 기록이 될 수 있도록 진실하고 정확한 기록이 필수임.

2) 실습일지 주요 구성

학급지도교사	부　　장

학교현장실습 일지

20　　년　　월　　일　　요일　날씨 (　　)

<table>
<tr><th>구분</th><th colspan="2">기재 내용</th><th>유의사항</th></tr>
<tr><td rowspan="2">오늘의 계획</td><td>주 요 일 정</td><td>교직원 회의 전달사항, 학교 및 학급 주요 일정, 공지사항 등 기록</td><td rowspan="3">계획 및 교육 내용 등을 요약적으로 제시</td></tr>
<tr><td>조 · 종 례
전 달 사 항</td><td>학생 전달 사항 요약</td></tr>
<tr><td>교생 협의
및
교육 내용</td><td colspan="2">교육실습생 전체 협의 내용
교육실습생 학급별 협의내용
교장, 교감, 지도교사 교육 내용 요약</td></tr>
<tr><td>교수 학습
지도 사항
및
소감,
배운 점</td><td colspan="2"><교수 학습 지도 사항: 관찰 또는 참가 기록>
수업내용, 지도중점 사항, 교수법 등 요약 제시
교수 학습 내용 중에 핵심 사항 및 유의점

<소감 및 배운점>
당일 수업에서 느낀 점, 배운 점 등 소감 작성</td><td>수업참관 내용이나 수업실연 내용을 요약적으로 제시
성찰적인 분석 실시</td></tr>
<tr><td>학급경영
·
생활지도
사항
및
소감,
배운점</td><td colspan="2"><학급경영 및 생활지도 사항>
핵심적인 학급 상황 관찰 내용 요약
생활지도, 특별활동 지도, 행사 참여 등 학교 참여 내용 기록

<소감 및 배운점>
당일 학급경영 및 생활지도에서 느낀 점, 배운 점 등 소감 작성</td><td>핵심적인 학급상황 관찰 내용을 요약적으로 기술

성찰적인 분석 실시</td></tr>
<tr><td>종합소감
및
개선점</td><td colspan="2">하루 교생실습 내용에 대해 종합적으로 검토
미래교원으로서 자기 실습평가 내용을 성찰적으로 기술</td><td>자기 성찰적 실습내용 분석</td></tr>
<tr><td>지도 교사
조　　언</td><td colspan="2">현장실습에 대한 지도교사의 조언을 얻어 정리</td><td>일지 작성 후 실습 평가 및 피드백</td></tr>
</table>

3) 주요 기록 내용

(1) 관찰 기록

현장실습에서 '관찰' 주요 실습 과정 중 하나이다. 교육실습생은 학교, 교사, 학생, 교육과정 등에 대해 세심히 관찰하고 기록하고 분석하는 활동을 통하여 학교, 교사, 학생 등에 대한 이해를 높인다.

① 교육환경 관찰 : 학교 위치, 학교 시설, 학교와 지역사회 관계 등
② 학생 관찰 : 실내생활(학급분위기, 학생실태, 수업태도, 문제행동 등), 학교 일과(등하교 상황, 하루 일과, 수업 전 상황, 중식, 청소활동, 쉬는 시간, 방과후 활동 등), 학생 문화와 행동(놀이, 취미, 문제행동, 준법성, 교유관계 등), 지적 정서적 행동(호기심, 흥미, 상상, 질문, 응답, 창의 등), 학생 건강상태(신체 건강, 질병, 컨디션 등), 교사에 대한 태도(교사에 대한 존경, 반향, 복정 등)
③ 교사 관찰 : 교사의 성격, 가치관, 교육관 학생관, 학습지도와 생활지도 열의와 영향력, 학생과의 의사소통과 친밀성, 업무처리 및 학급경영의 계획성과 실천력, 학생에 대한 언어사용, 정서적 반응, 신뢰도, 교사 상호간의 관계, 교무실 내의 수직적 인간관계 등
④ 교육과정 운영 관찰 : 교과 및 학습지도(학습계획, 교재 연구, 시청각 교재 및 기자재 활용, 수업 전개, 학생 흥미 고려 등), 생활지도(생활지도 부서 조직, 부서별 협력, 지역사회 연계, 심리 검사 활용도 등), 특별활동지도(활동 체계, 자료 관리, 학생 참여, 만족도 등), 학급경영(학급경영 목표와 전략, 학급환경 정리, 학부모와의 관계 등) 등

학교의 모든 것을 동시에 관찰할 수 없으므로 영역별로 계획과 전략을 세워 순차적, 점증적 관찰이 이루어지도록 한다. 관찰한 내용은 영역별로 현장실습일지에 기록한다.

(2) 참가 기록

교육실습생으로서 학교 교육활동에 직접 참가함으로써 학교교육의 이해를 넓힌다. 참가를 통한 실습과 기록은 지도교사의 지도 아래 교과 운영, 학습 지도, 학급경영, 학생 생활지도, 특별활동 참가 등을 통해 이루어진다. 이와 같은 참여를 통해 교생실습생은 다음과 같은 학습이 이루어지도록 한다.

① 학급 담임 역할 이해
② 교수학습 계획 수립, 수업 전개, 평가
③ 학습 상황 실태, 생활세계의 개별적, 집단적 분석
④ 학교 행사 참가를 통해 행사의 의의와 가치 분석
⑤ 교사의 주요 직무 수행을 통해 근무 부담과 조건 이해
⑥ 학교와 학부모 관계, 학교의 대외적 관계 이해

(3) 성찰 기록

성찰기록은 교생실습 내용에 대한 분석과 자기 반성에 대한 기록이다. 관찰 및 참여 기록을 토대로 하루의 실습 내용을 분석하고 이에 대한 자신의 느낌과 생각 등을 정리하여 기록한다. 그리고 이를 토대로 자신의 실습 활동을 성찰과 개선사항 도출이 이루어지도록 한다. 주요 성찰 기록 내용은 다음과 같다.

① 교수 학습 지도사항에 대한 분석과 성찰
② 학급경영과 생활지도에 대한 분석과 성찰
③ 종합적 실습 활동에 대한 분석과 성찰

〈예시〉

학급지도교사	부 장

학교현장실습 일지(예시)

20 년 월 일 요일 날씨 ( )

오늘의 계획	주요일정	영어스피치대회 예선(6교시 후, 시청각실) 자기주도학습 특강(방과후, 강당)
	조·종례 전달사항	조회: 신체검사 질서 유지/영어스피치대회참가자 확인, 격려 종례: 다음주 학부모상담 신청기한/ 가족과 칭찬 대화 해보기
교생 협의 및 교육 내용	수업참관시 5분전 입실 완료 요망 학생상담은 점심시간과 방과후 활용 권장	
교수 학습 지도 사항 및 소감, 배운 점	3교시: 참관, 2-3, 도덕, 교사-학생 긍정적 상호작용의 중요성, 단원 특성에 따라 학생과 교사, 학생간 상호작용 장치가 좋았음 4교시: 수업, 1-5, 국어, 5반 2번째 수업 진행, 피피티 작성시 화면 크기를 고려하고 색상을 효율적으로 배치하는 것이 수업에서 집중 효과를 높일 수 있었음. 학습목표를 그냥 제시하는 것 보다 학생들이 한번 읽게 하고 부연설명하면 더 좋을 것으로 생각됨. 학습목표 제시할 때 집중하지 못하는 학생들이 발견되었음. 수업 시작 전 동영상이 있는 경우, 볼륨 확인 및 조절을 필수로 해야겠음	
학급경영 • 생활지도 사항 및 소감, 배운점	특별실 청소당번에게 청소완료 후 창문 닫기, 출입문 닫기를 당부함 - 조회와 종례에서 학생들의 집중도가 달랐음. 오후에 체육이 있어서인지 종례때 피곤한 학생들이 많아서 산만한 분위기였음. 학급담임선생님이 학생들에게 기지개를 켜게 하고 주의를 환기한 다음에 종례를 진행한 점, 뒷문으로 들어오셔서 앞으로 가시는 동안 몇몇 학생들을 살피고 짧게 지도한 행동이 바람직하게 보였으며 종례시 생활지도에 대한 노하우를 배웠음 - 점심시간에 바로 매점으로 달려가는 학생들이 눈에 띄었음. 자주 일어나는 일인지 학생들을 관찰할 필요가 있을 것 같음. 건강관리를 위해 한 주 간 주의 깊은 관찰을 해 보기로 함	
종합소감 및 개선점	날씨가 더워지고 학기 중반으로 접어들면서 수업시간이나 조 · 종례 시간에 긴장이 풀리고 해이해지는 학생들이 늘어난 것을 보았다. 이러한 학생들에 대해 너그럽지만 주의 깊게 살피는 것이 학급 전체 분위기 관리를 위해 필요하다는 점을 배웠다. 어떤 방법으로 학급경영을 효율적으로 해 나갈지 면밀히 살피고 더 배워야겠다.	
지도 교사 조 언		

2. 상담 일지

상담일지는 교사의 주요 업무 중 하나인 학생상담활동에 대한 기록이자 학생생활에 대한 중요한 정보가 된다. 따라서, 교육실습생의 학생상담과 상담일지 작성은 지도교사의 지도하에 엄격하게 이뤄져야 한다.

① 활동 전체 개요를 작성하기 보다는 한 가지 체험이라도 의미 있는 경험에 주목하여, 그로부터의 학습과 반성을 충실 작성

② 현재의 학교 현장의 분위기와 문화를 익히고 이를 통해 미래의 교원으로서 준비해야 할 부분을 모색하는 데 초점

상담 일지 (예시)

<table>
<tr><td>학생이름</td><td colspan="3">이 내 담</td><td>학년-반</td><td>1-2</td></tr>
<tr><td>상담주제
(O)</td><td colspan="5">학업(성적) 진로(진학) 친구(선후배) 가족(친척) 교사 이성(성) 외모O
성격 정신건강 신체건강 기타____________</td></tr>
<tr><td>회기수</td><td>1</td><td>상담일시
(장소)</td><td colspan="3">5월 3일(화요일) 12:00 -12:25 (본관앞벤치)</td></tr>
<tr><td colspan="2">자발상담O, 호출상담</td><td colspan="4">활용(O): 검사, 활동지, 미술매체, 게임매체O, _______ 활용</td></tr>
<tr><td colspan="6">회기 상담 목표 및 계획</td></tr>
<tr><td colspan="6">호소문제 탐색, 학생 성격 및 가치관, 고민에 대한 생각 확인, 상담목표 수립</td></tr>
<tr><td colspan="6">상담 내용(상담자 반응, 개입은 괄호안에 작성)</td></tr>
<tr><td colspan="6">어제 상담받고 싶다고 신청, 약속 정함. (상담 신청해줘서 조금 놀랐고 고마웠음 전달, 자세히 이야기해주길 요청)원래 내가 못 생겼다는 생각은 해 왔음. 지나가다 복도에서 모르는 남학생들이 "야 못 생겼다" 하고 지나간 후에 주변에서 날 보고 힐끔거리며 웃으면 기분이 나빠지고 쪼그라드는 느낌(불쾌하고 위축되는 느낌이 드는구나. 언제부터?) 지난 달부터, 한달쯤 됐음. 예쁜 아이들도 많고 애들은 점점더 예뻐지는 것 같은데 나만 나빠지는 것 같아 불안하고 학교 다닐 기분이 안 남(공감. 놀리는 말을 여러번 들었는지?) 말은 한 두 번, 그 후 힐끔거리기만 해도 기분이 너무 안 좋아짐.(말 들은 것이 상처가 됐나보다. 힐끔거릴 때 어떤 생각? 어떤 행동?) 못 생겨서 쳐다보는구나. 살기 싫다. 진짜 싫다. 고개 숙이고 지나감(예쁘지 않은 다른 아이들에게도 같은 일이 일어나나? 같은 일이 일어나고 내담이랑 다 같은 식으로 반응?) 그건 모르겠다.(불편함을 줄여야 하고 힐끔거릴 때 어떻게 하는 것이 좋을지도 생각해야 하니 다른 친구들 관찰해보고 다시 이야기했으면..) 좋음. (지금 마음?) 좀 시원해졌음. 이야기하길 잘 했음</td></tr>
<tr><td colspan="6">회기상담의 분석 및 평가</td></tr>
<tr><td colspan="6">청소년기 외모 고민은 대부분 겪는 일인데 초등부터 외모에 대한 자신감이 없는 상태에서 남학생들의 놀림에 과민한 반응을 하게 되고 심한 열등감으로 이어져서 학교부적응이 시작되는 것으로 보임. 공감은 잘 해 준 거 같음. 힐끔거려도 그렇게 불편하지 않은 적은 없는지 예외질문을 했으면 좋았을 것임</td></tr>
<tr><td colspan="6">상담자 의견과 다음 계획</td></tr>
<tr><td colspan="6">외모에 집중하는 청소년기 특성을 이해하고 존중할 필요가 있겠음. 다른 학생들이 힐끔거릴 때 가장 힘들다 하니 그 부분을 먼저 상담해서 학교생활을 좀 더 편하게 한 다음 자존감 증진을 주 목적으로 해서 자신의 장단점을 알아보고 그중 내담이가 중요하다고 생각하는 부분을 부각하고 이를 키워서 자존감이 높아지도록 할 계획.</td></tr>
</table>

3. 기타 양식

1) 연수록

연수록은 교생실습 초기에 필요한 양식으로, 교생실습 지도교사의 집중 지도가 이루어질 때 활용한다. 연수록은 담당교사, 연수 일시, 주제, 연수내용, 소감으로 구성되어 있다.

① 교생실습 지도교사의 교육 내용을 정확히 기록하여 추후 실습과정에서 활용
② 연수내용을 요약적이고 체계적으로 기록
③ 새롭게 알게 된 것, 연수 내용에 대한 느낌과 생각, 질문 등을 소감 기록
④ 추가 학습자료 첨부

연 수 록

담당교사		일시	
주 제			
[연수내용]			
[소 감]			

2) 수업 참관록과 본인 수업 평가 일지

'수업 참관록'과 '본인 수업 평가 일지'는 교육실습생이 지도교사와 동료의 수업을 참관하거나 교생 본인이 수업 실행을 분석 할 때 활용하는 양식이다. 본 양식을 활용하여 수업의 전개(도입-전개-정리)에 따라 체계적 수업 분석이 이루어질 수 있도록 한다.

① 교사용 수업 참관록 : 교과 지도교사가 진행하는 수업을 참관할 때 활용. 수업 분석을 통한 모델링
② 교생용 수업 참관록 : 동료 교생실습생이 진행하는 수업을 참관할 때 활용. 동료 교생실습생의 수업 분석, 평가, 피드백
③ 본인 수업 평가 : 본인 수업의 분석과 평가를 위해 활용. 수업 실행 후 녹화 동영상 분석 및 평가

교사용 수업 참관록, 교생용 수업 참관록, 본인 수업 평가 양식 기록 등을 종합적으로 비교, 분석하여 본인의 수업을 향상시킬 수 있는 자료로 활용한다. 이를 위해 다음의 사항에 유의하여 수업 참관록과 본인 수업 평가 양식을 기록한다.

① 수업 전개의 맥락에서 전체적인 수업 상황을 조망하도록 함.
② 학습목표, 교수법, 학생 수준과 반응, 교사와 학생의 상호작용 등에 대한 종합적 분석 속에서 주요 항목들을 검토함.
③ 도입-전개-정리의 각 요소들의 시간적 배분 등 전체적인 수업의 균형도 함께 점검함.
④ 동료 교생이 작성한 본인 수업에 대한 수업 참관록과 본인 수업 평가 기록을 교차 분석하여 수업 성찰과 개선에 활용함.

수업 참관록(교사)

결 재	교과지도교사	부장

20 년 월 일 요일

지도교과		교사명	
단원명		대상	학년 반

수 업 내 용 및 관 찰 사 항		
영역 및 단계	관찰 관점	특기 사항
교수·학습 과정안 분 석	ㅇ학습 목표의 적절성과 명료성	
	ㅇ교과 및 단원 특성에 맞는 수업 모형 적용	
	ㅇ교수·학습 내용의 체계적 구성	
	ㅇ자료의 적절성 및 유의점의 구체성	
	ㅇ시간 운영 및 환류 계획	
	ㅇ과정안의 형식 및 활동 중심성	
도입	ㅇ학습 환경 조성 및 정비	
	ㅇ학습동기 유발	
	ㅇ출발점 행동의 진단과 활용	
	ㅇ학습 문제의식과 목표의 명세 정도	
	ㅇ활동 계획 수립의 구체성	
	ㅇ자료의 준비성과 활용 정도	
전개	ㅇ학생의 능동적 수업 참여	
	ㅇ개인차에 대응하는 학습 활동	
	ㅇ과제 해결을 위한 기초 기능 지도의 정도	
	ㅇ교수·학습 및 문제 해결 과정의 적절성	
	ㅇ교과 특성에 맞는 학습 모형의 적용 여부	
	ㅇ오류에 대한 대응성	
	ㅇ탄력적인 시간 운영	
	ㅇ교사와 학생, 학생과 학생의 상호 작용	
	ㅇ학습자료 및 기자재의 활용성	
	ㅇ수업 매체의 적절성	
	ㅇ학습자의 질문 내용 및 발표 태도	
	ㅇ교사 발문의 형식과 내용, 방법	
	ㅇ순회지도	
	ㅇ학습자의 참여성과 주의 집중력	
정리	ㅇ수업 목표의 도달도	
	ㅇ교재(교과서 및 자료)의 활용 정도	
	ㅇ판서의 구조화 정도	
	ㅇ수준별 교육과정의 반영 정도	
	ㅇ수행평가의 실천(평가의 적절성) 정도	
	ㅇ차시 예고 및 과제 제시의 정도	
참관 소감 및 반성		

수업 참관록(교생)

결 재	교과지도교사	부장

20　년　월　일　요일

수업교과		교생명	
단원명		대상	학년　　반

수 업 내 용 　및　 관 찰 사 항

영역 및 단계	관찰 관점	평가			특기 사항
		상	중	하	
교수 · 학습 과정안 분 석	ㅇ학습 목표의 적절성과 명료성				
	ㅇ교과 및 단원 특성에 맞는 수업 모형 적용				
	ㅇ교수·학습 내용의 체계적 구성				
	ㅇ자료의 적절성 및 유의점의 구체성				
	ㅇ시간 운영 및 환류 계획				
	ㅇ과정안의 형식 및 활동 중심성				
도 입	ㅇ학습 환경 조성 및 정비				
	ㅇ학습동기 유발				
	ㅇ출발점 행동의 진단과 활용				
	ㅇ학습 문제의식과 목표의 명세 정도				
	ㅇ활동 계획 수립의 구체성				
	ㅇ자료의 준비성과 활용 정도				
전 개	ㅇ학생의 능동적 수업 참여				
	ㅇ개인차에 대응하는 학습 활동				
	ㅇ과제 해결을 위한 기초 기능 지도의 정도				
	ㅇ교수·학습 및 문제 해결 과정의 적절성				
	ㅇ교과 특성에 맞는 학습 모형의 적용 여부				
	ㅇ오류에 대한 대응성				
	ㅇ탄력적인 시간 운영				
	ㅇ교사와 학생, 학생과 학생의 상호 작용				
	ㅇ학습자료 및 기자재의 활용성				
	ㅇ수업 매체의 적절성				
	ㅇ학습자의 질문 내용 및 발표 태도				
	ㅇ교사 발문의 형식과 내용, 방법				
	ㅇ순회지도				
	ㅇ학습자의 참여성과 주의 집중력				
정 리	ㅇ수업 목표의 도달도				
	ㅇ교재(교과서 및 자료)의 활용 정도				
	ㅇ판서의 구조화 정도				
	ㅇ수준별 교육과정의 반영 정도				
	ㅇ수행평가의 실천(평가의 적절성) 정도				
	ㅇ차시 예고 및 과제 제시의 정도				
참관소감 및 반성					

본인수업평가

결재	교과지도교사	부장

20 년 월 일 요일

수업교과		단원명	
교과서	쪽 ~ 쪽	대상	학년 반

수 업 내 용 및 평 가					
영역 및 단계	평가 관점	평가			반성 및 개선
		상	중	하	
교수 · 학습 과정안 분 석	ㅇ학습 목표의 적절성과 명료성				
	ㅇ교과 및 단원 특성에 맞는 수업 모형 적용				
	ㅇ교수·학습 내용의 재구성				
	ㅇ자료의 적절성 및 유의점의 구체성				
	ㅇ시간 운영 및 환류 계획				
	ㅇ과정안의 형식 및 활동 중심성				
도 입	ㅇ학습 환경 조성 및 정비				
	ㅇ학습동기 유발				
	ㅇ출발점 행동의 진단과 활용				
	ㅇ학습 문제의식과 목표의 명세 정도				
	ㅇ선수 학습의 파악과 본시학습 연결				
	ㅇ자료의 준비성과 활용 정도				
전 개	ㅇ학생의 능동적 수업 참여유도				
	ㅇ개인차에 대응하는 학습 활동				
	ㅇ과제 해결을 위한 기초 기능 지도의 정도				
	ㅇ교수·학습 및 문제 해결 과정의 적절성				
	ㅇ교과 특성에 맞는 학습 모형의 적용 여부				
	ㅇ오류에 대한 대응성				
	ㅇ탄력적인 시간 운영				
	ㅇ교사-학생, 학생-학생의 상호 작용				
	ㅇ학습자료 및 기자재의 활용성				
	ㅇ수업 매체의 적절성				
	ㅇ학습자의 질문 유도 및 응답 관리				
	ㅇ교사 발문의 형식과 내용, 방법				
	ㅇ순회지도				
	ㅇ학습자의 참여성과 주의집중 관리				
정 리	ㅇ수업 목표의 도달도				
	ㅇ교재(교과서 및 자료)의 활용 정도				
	ㅇ판서의 구조화 정도				
	ㅇ수준별 교육과정의 반영				
	ㅇ수행평가의 실천(평가의 적절성)				
	ㅇ차시 예고 및 과제 제시				
소감 및 반성					

3) 수업 협의록

수업 협의록은 수업 전 수업계획에 대해 지도교사와 교생 간의 협의 내용이나 수업을 진행한 후 수업 내용 및 방법에 대한 협의 내용을 기록할 수도 있다. 수업 전 작성하는 수업 협의록은 수업계획을 보완하고 성공적으로 실행할 수 있도록 하며 수업 후 작성하는 수업 협의록은 이미 실행한 수업을 성찰하고 수업 운영 능력을 향상시키는 데 도움을 줄 수 있다.

① 수업 전 작성하는 수업 협의록 : 수업지도안 내용을 바탕으로 한 협의 내용을 기록하며 수업내용, 수업방법, 교재, 학생지도 방안 등에 대한 교사의 조언과 협의 내용을 기록

② 수업 후 작성하는 수업 협의록 : 실시한 수업내용 및 방법, 교재 활용, 학생지도의 적절성 등과 관련하여 지도교사와 사후협의 및 평가를 실시하고 이를 기록

[ ] 과 수업 협의록

결 재	교과지도교사	부장

일 시	20 년 월 일 요일	지도교사	
대 상	학년 반	지도교생	
참석자		협의장소	
협 의 내 용			

Ⅵ 수업모형 : 학습자 활동중심의 집단 협력/협동학습

이 장에서는 교생실습에서 활용할 수 있는 수업 모형 중 학생의 협동적 참여를 촉진할 수 있는 학습자 활동중심의 집단 협력/협동학습 수업모형의 원리와 적용 절차 및 사례를 간략히 살펴보도록 한다.

1. 협력/협동학습의 개념, 원리 및 의의

왜 수업은 학습자 활동이 중시되는 협력/협동학습이어야 할까? 수업 중 동료 학생들과 상호작용하는 학생들의 모습을 관찰해 보면 크게 다음과 같은 세 가지 모습이 드러난다.[3] 1) 개인주의적인 모습, 2) 경쟁적인 모습, 3) 협력적인 모습이다. 첫째, 개인주의적인 모습일 때 학생들은 자신의 '성취'에만 관심을 두고 다른 동료들의 성취에는 관심이 없다. 자신의 성취 달성은 동료의 성취 달성에 영향을 미치지 않는다. 따라서 학생들은 개인적 이득이 되는 결과를 추구한다. 둘째, 경쟁적인 모습일 때 학생들은 자신이 '최고'가 되는 것에 관심이 있다. 자신이 최고가 되기 위해서는 다른 동료들 보다 앞서야 하거나 또는 다른 동료들을 실패시켜야 한다. 때문에 자신에게는 이익이 되지만 다른 동료들은 피해를 보는 결과를 추구한다. 셋째. 협력/협동적인 모습일 때 학생들은 '우리'와 '함께'에 관심이 있다. 학생 개인의 성취는 다른 동료가 목표를 성취할 때 달성된다. 자신의 성공은 동료의 성공 여부에 달려있다. 따라서 구성원끼리 서로 돕고 모두

3) Deutsch, M. (1962). A theory of cooperation and competition. *Human Relations, 2*, 129-152.

가 이익이 되는 결과를 추구한다. 이 세 가지 상호작용의 모습 중에서 어느 것이 학교교육 안에서 가장 바람직할까? 물론 사람들은 세 가지 상호작용의 모습을 어느 정도 다 갖고 있다. 그러나 학교교육을 받는 과정에서 개인주의적 성향과 경쟁적 성향이 더 강화된다는 연구결과[4]는 학교의 수업에서 학생들 사이의 상호작용의 모습이 어떠해야 하는지를 시사해준다.

협력/협동학습이란 수업의 과정에서 소집단의 구성원들이 공동의 목표를 달성하기 위해 함께 학습하는 구조화된 수업방법이다. 실제 수업에서 협력/협동학습의 모습은 대개 교사가 수업목표(또는 학습목표)와 밀접하게 관련되어 있는 학습과제(또는 학습문제)를 제시하면, 3-7명으로 구성된 소집단 소속 학생들이 함께 이 학습과제나 학습문제를 완성하거나 해결하는 것으로 나타난다. 이 과정에서 구성원들은 동료 구성원들과 상호작용하면서 서로의 생각을 공유하고, 서로의 노력에 대해 격려하며 공동으로 학습하게 된다. 협력/협동학습의 구조에서 교사는 구성원들의 활동이 자발적으로 잘 이루어지도록 도와주고 지원하는 촉진자 및 코치 역할을 하며, 학생은 구성원들 사이의 의견 차이를 이해하고 좁히면서 능동적으로 지식을 형성하는 학습의 주체자의 역할을 한다.

협력/협동학습이 되기 위해서는 다음과 같은 네 가지 조건이 따른다.[5] 1) 협력 과제, 2) 협력 행동, 3) 협력 인센티브, 4) 협력 동기다. 첫째, 협력 과제란 최소 두 명 이상의 구성원들이 함께 하는 과제(task)나 문제(problem)가 있다는 것이다. 둘째, 협력 행동은 협력 과제의 완성이나 협력 문제의 해결을 위해 모두가 함께 하고 서로 도와주는 것을 말한다. 셋째, 협력 인센티브는 협력 과제의 완성이나 협력 문제의 해결한 결과에 대해 구성원 개개인이 동료 구성원들의 수행을 바탕으로 보상을 받는 것이다. 넷째, 협력 동기란 협력 행동의 과정에서 개인주의적이거나 경쟁적으로 하는 것이 아니라 서로 돕는 이타주의적으로 수행하는 것이다.

이런 네 가지 조건의 협력/협동학습은 다음과 같은 다섯 가지 협력/협동학습의 원리에 의해 보장되며,[6] 이 원리가 잘 실현될 때 협력/협동학습은 성공한다. 1) 긍정적 상호의존성, 2) 대면적 상호작용, 3) 개별 책무성, 4) 사회적 기술, 5) 집단 과정이다. 첫

4) Johnson, D. W., & Johnson, R. T. (1989). *Cooperation and competition: Theory and research.* Edina, MN: Interaction Book Co.

5) Slavin, R. E. (1983). *Cooperative learning.* New York, NY: Longman.

6) Slavin, R. E. (1991). Synthesis of research on cooperative learning. *Educational Leardership, 48*(5), 71-82.

째, 긍정적 상호의존성이란 집단 구성원 개개인이 동료 구성원의 성공을 위해 서로 도움을 주는 관계를 말한다. 집단이 목표를 성취하기 위해서는 나 자신만 목표 달성을 해서는 안 되기 때문에 자료를 공유하고 의견을 나누면서 서로에게 상호의존적인 역할을 해야 하는 것이다. 둘째, 대면적 상호작용이란 자료나 의견의 공유할 때 직접 마주보면서 하는 상호작용을 말한다. 이때 다른 구성원들의 설명을 경청하며, 맡은 역할에 대한 노력을 격려하고, 상이한 견해의 차이를 토의, 토론을 통해 해소한다. 셋째, 개별 책무성이란 협력 과제나 문제에 대한 완성과 해결의 책임이 구성원 개개인 모두에게 주어져 있다는 뜻이다. 개별 책무성을 통해 무임승차 효과(free-rider effect)와 봉 효과(sucker effect)를 방지할 수 있다. 무임승차 효과란 협력 활동에 능동적으로 참여하지 않고 동료 학습자들이 이루어 놓은 성취를 공짜로 얻는 것이며, 봉 효과란 구성원 개인의 노력이 다른 동료 구성원들에게 공짜로 가는 것을 싫어하여 협력 활동에 능동적으로 참여하지 않는 것이다. 넷째, 사회적 기술이란 집단의 상호작용 안에서 나타나는 합리적 의사결정, 효과적 리더십, 적극적 참여, 갈등 관리, 능동적 청취 등을 말한다. 다섯째, 집단 과정이란 집단의 목표 달성이라는 결과만이 아니라 그 결과를 완성해 가는 과정에서 필요한 구성원 각자의 노력의 정도와 과정, 협력의 정도와 과정, 토의나 토론의 질적 수준, 어떤 활동의 유익성의 정도 등을 체크하고 확인하는 것이다.

실제 학교교육에서 위에서 기술한 협력/협동학습의 네 가지 조건을 만족하는 구체적인 협력/협동학습의 형태는 다양하게 나타날 수 있다. 즉, 여러 형태로 협력/협동학습을 수업에서 실천할 수 있다. 여기서는 실제 수업에서 적용하기 용이하며 학습목표 달성에 효과적인 네 개의 모형을 1) 개념과 특징, 2) 핵심 요소, 3) 절차와 적용 사례로 세분화하여 간략하게 제시한다.[7]

7) 절차는 참고 서적마다 조금씩 다를 수 있다. 간략히 제시한 적용 사례는 대학 수업에서 실제로 적용해 본 사례다. 교육실습지침이 교육실습생의 중고등학교 수업을 위한 것이지만, 대학 수업의 실제 사례를 통해 중고교 수업에서 적용할 구체적인 아이디어를 생각해내어 응용할 수 있을 것이다.

2. 직소 모형(Jigsaw Model)

1) 개념과 특징

직소 모형은 원 소속 집단의 구성원이 전문가 집단으로 갈라졌다가 다시 원 소속의 집단으로 돌아오는 모습이 마치 조각그림 맞추기, 즉 직소 퍼즐과 유사하다는 데서 붙여진 이름이다. 원 소속 집단의 구성원들로부터 상호 협력적으로 도움을 받아야만 주어진 학습과제 전체를 공부할 수 있어서 과제분담학습이라고도 불린다.

2) 핵심 요소

(1) 학습과제와 전문과제(혹은 문제)

학습과제는 학생들이 습득해야 하는 내용을 말한다. 학습과제는 여러 개의 전문과제로 작세 나누어지며 대개 질문의 형태로 제시된다. 여러 전문과제를 완성하면 학습과제를 습득할 수 있도록 설계되어 있다. 교사는 학습과제를 설정하고 알려주며, 여러 개의 작은 전문과제를 만들어 제시하면서 학생에게 미리 조사해오도록 한다. 대개 한 학습과제에 대한 전문과제의 수는 원 소속 집단 구성원의 수에 맞춘다.

(2) 원 소속 집단

개별 학생이 소속되어 있는 집단을 말한다. 일반적으로 집단의 크기는 3명에서 7명까지 구성하지만 5-6명이 바람직하다. 집단의 구성원은 학습능력, 성격, 성별에 따라 이질적으로 구성하는 것이 좋다. 원 소속 집단의 구성원들은 각자 상이한 전문과제를 교사로부터 부여받는다. 수업에서 각 개개인은 각자 부여받은 전문과제에 대해 미리 조사를 해서 온 전문가가 된다.

(3) 전문가 집단

원 소속 집단의 구성원들은 전문과제가 같은 다른 집단의 구성원들과 함께 전문가 집단을 구성한다. 예컨대, 원 소속 집단이 5명으로 구성되어 있다면, 각자 다른 전문과제를 조사해 온 5명의 전문가가 존재한다. 이때 원 소속 집단이 총 6개가 있다면 각 전문과제에 대해 6명의 전문가가 존재하게 된다. 이들이 동일한 전문과제별로 모여 집단을 만들면, 6명으로 구성된 총 5개의 전문가 집단이 생긴다.

(4) 전문가 집단 토론/토의 학습 및 원 소속 집단 토론/토의 학습

직소 모형에서는 최소한 2번 이상의 토론/토의 학습이 이루어진다. 먼저 전문가 집단에서 토론/토의 학습을 통해 동일한 전문과제에 대한 의견 수렴을 한다. 전문가 집단에서 학습이 끝나면 원 소속 집단으로 돌아가 동료들에게 전문가 집단에서 학습한 내용을 가르치고 설명한다. 그리고 이를 바탕으로 학습과제에 대해 논의하고 원 소속 집단의 해결안이나 의견을 완성한다.

3) 절차와 적용 사례

- 학습과제: 창의력 신장을 위해 어떻게 수업할 것인가?
- 전문과제:

  a. 창의력이란 무엇인가? 창의력을 어떤 능력으로 보아야 하는가?
  b. 역사적으로 창의력이 뛰어난 인물은? 이유는?
  c. 창의력을 향상시키는 수업방법에는 어떤 것이 있을까?
  d. 교수자 중심 수업과 학습자 중심 수업의 차이점은 무엇인가?
  e. 수업을 받은 후 창의력이 향상되었다는 것을 어떻게 알 수 있을까?

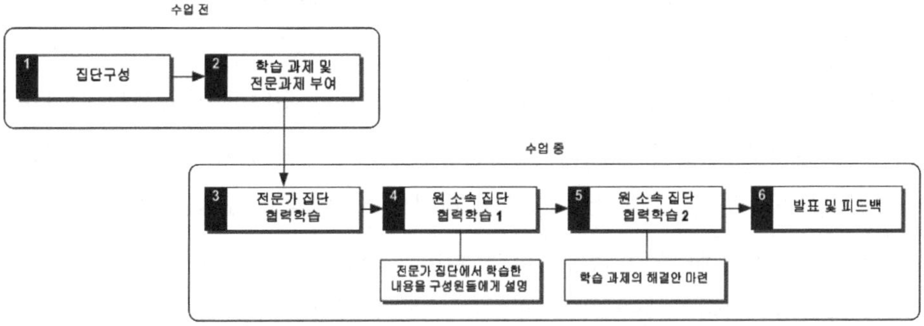

① 교수자는 전문과제가 5개이므로 5명을 한 집단으로 하는 집단을 구성함.
② 교수자는 학습과제를 알려주고, 학생에게 전문과제 1개를 부여하고 조사하도록 함.
③ 교수자는 전문과제별로 전문가 집단을 형성케 하여 전문가 집단별로 과제를 완성하게 함.
④ 학생들은 원 소속 집단으로 돌아와 전문가 집단에서 학습하고 완성한 내용을 구성원들에게 설명함.
⑤ 원 소속 집단은 전문가 집단에서 도출한 내용을 토대로 학습과제(창의력 신장을 위해 어떻게 수업할 것인가?)에 대한 해결안을 논의하고 도출함.
⑥ 원 소속 집단은 해결안을 발표하고 동료와 교수자에게 피드백을 받음.

3. 문제중심학습(Problem-Based Learning: PBL)

1) 개념과 특징

문제를 활용한 수업방법은 예전부터 존재했다. 기존의 방법은 학생으로 하여금 학습할 개념이나 원리를 학습하도록 한 이후에 문제를 제시함으로써, 학생이 학습을 제대로 했는지를 확인하였다. 즉, 문제는 한 단원이 끝나면 제시되는 연습문제처럼 학습이 끝난 후에 제시된 것이다. 또 기존의 수업에서 문제는 사실적 지식으로 이루어진 문제, 단순한 원리로 구성된 문제, 정답을 찾을 수 있는 구조화된 문제(well-structured problems)로 이루어져 있었다.

그러나 PBL에서 학습은 문제가 제시되면서 시작된다. 이때 문제는 학습해야 하는 내용이 포함된 포괄적인 커다란 문제로서 단순한 사실이나 원리가 아니라 여러 개의 사실과 원리들이 복잡하게 작용한다. 그래서 정답이 아예 없거나 여러 개가 존재하는 비구조화된 문제(ill-structured problems)이며 논쟁이나 토론의 여지가 충분하고 현실에서 발생했거나 발생할 가능성이 높은 실제적인 문제들이다. 수업에서 교사는 문제해결에 필요한 내용을 알려주는 것이 아니라 이러한 복잡하고, 비구조이며, 실제성 있는 문제를 제시하고 학생들로 하여금 스스로 해결해 나가도록 만든다. 교사는 학생들의 문제해결 활동을 도와주고 촉진해주는 역할을 하게 되며, 학습자는 교사의 지도를 받는 소극적인 존재가 아니라 적극적이며 능동적인 학습의 주체가 된다.

2) 핵심 요소

(1) 문제

교사가 학생에게 문제를 제시한다. 문제는 미리 교사가 교과의 단원이나 학습내용을 파악한 후에 만들어야 한다. 문제의 성격은 복잡하고 비구조적이며 실제적인 문제가 바람직하고, 문제의 난이도는 학생의 수준에 적절하며, 문제가 학생의 경험과 관련 있어야 한다.

(2) 문제 확인 및 탐색

교사에게 제시된 문제를 해결하기 위해서는 그 문제가 어떤 문제인지를 확인하고, 이를 어떻게 해결할 수 있는지 탐색을 해야 한다. 이때 학생들은 문제를 상세히 검토하는 작업을 한다. 이 작업은 생각(idea), 사실(facts), 학습과제(learning issues), 실천계획(action plans)으로 구체화된다. 생각은 문제의 원인, 결과, 가능한 해결안에 대해 학생들이 가설과 추측을 하는 것이다. 사실은 문제해결과 관련하여 학생들이 알고 있는 사실들이나 문제에 조건으로 제시된 문제해결에 필요한 사실들을 말한다. 학습과제는 문제를 해결하기 위해 학생들이 더 알아야 할 필요가 있는 학습내용이다. 사실 확인을 통해 문제가 어떤 문제인지 확인하게 되면 문제해결을 위해 조사해서 알아야 할 내용이 무엇인지가 드러난다. 학습과제 도출은 PBL에서 핵심이다. 문제해결에 직접적으로 영향을 미치기 때문이다. 학습과제가 제대로 도출되지 않으면 문제해결에 실패할 수밖에 없다. 교사는 학생들의 학습과제 도출에 도움을 제공해야 한다. 실천계획은 문제를 해결하기 위해 학생이 이후에 해야 할 일에 대한 계획을 말한다. 역할분담, 시간계획, 만날 장소 등을 포함할 수 있다.

(3) 개인별 과제 분배

문제확인 및 탐색을 통해 더 알아야 하고 더 조사해야 할 학습과제는 여러 개가 나온다. 이를 집단 구성원이 서로 나누어 각자 무엇을 조사해 올 것인지를 분배해야 한다. 이는 실천계획에서 역할분담을 나누는 일이 된다. 개인별 과제 분배에 따라 개인별로 개별학습을 진행하고 그 결과를 집단 모임으로 가져와 토의/토론/논의를 거쳐 문제해결안을 완성한다.

3) 절차와 적용 사례

• 문제: 당신은 대학교의 4명의 절친들(총 5명)과 함께 '가나다'사가 주최하는 세계여행 공모전에 응모하기로 하였다. 우승 팀에게는 어느 대륙, 어느 나라든지 20일에서 30일간의 해외여행 총 경비의 85%를 지원하기로 되어 있다. 여행 공모전에는 여행할 나라 이름, 거기서 어떤 여행을 할 것인지 및 소요경비는 필수적으로 포함된 계획서를 제출해야 한다. 지금까지 우승한 팀은 여행기간 내내 활동을 중심으로 계획서를 작성하지 않았지만, 무엇보다 톡톡 튀는 아이디어가 중요한 요소였다. 또 여행경비 100%를 지원하는 것이 아니기 때문에 개인적 경비를 고려해야 하므로 신중해야 한다. 세계여행 공모전에 제출할 계획서를 작성하라.

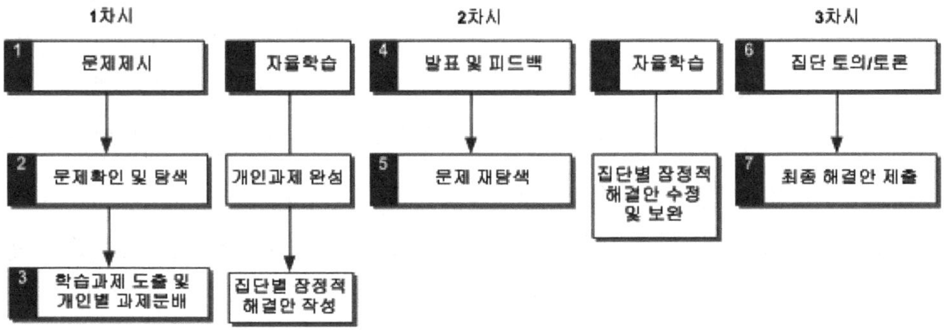

① 교수자는 문제를 학생들에게 제시함.

② 집단은 제시된 문제를 확인하며 탐색함(PBL 문제확인 및 탐색 활동지 완성).

③ 집단별로 학습과제를 도출하고 개인별 과제를 분배함.

④ 학생은 자율학습으로 개인과제를 완성한 후, 집단별로 모여서 잠정적 해결안을 작성함.

⑤ 각 집단은 잠정적 해결안을 발표하고 동료와 교수자에게 피드백을 받음.

⑥ 각 집단은 피드백을 참고로 하여 문제를 재탐색함.

⑦ 각 집단은 자율학습을 통해 잠정적 해결안을 수정 및 보완함.

⑧ 각 집단은 토의와 토론을 거쳐 최종 해결안을 완성하고 제출함.

〈표 1〉 PBL 문제 확인 및 탐색 활동지

생각(idea): 어떤 문제인가? 해결안은 어떤 모습일까?	
사실(facts): 문제에 드러난 사실은 무엇일까? 우리는 이 문제에 대해 이미 알고 있는 사실은 무엇일까?	
학습과제(learning issues): 문제해결을 위해 더 알아야 할 사항은 무엇일까?	
실천계획(action plans): 학습과제 개인별 분배, 만날 장소, 시간, 기타사항	

4. 비주얼 러닝(Visual Learning)

1) 개념과 특징

비주얼 싱킹(visual thinking: 시각적 사고)의 중요성은 익히 알려져 있다. 사람의 감각 기관 중 시각은 정보의 입력, 처리, 저장의 과정에서 약 75%를 담당한다고 한다. 이는 시각이 정보를 다루는 데 있어서 절대적으로 매우 중요하다는 의미다. 비주얼 러닝은 비주얼 싱킹을 교수-학습에 응용한 것으로 복잡한 생각을 간단한 그림으로 표현함으로써 전체를 통합적으로 해석할 수 있도록 도와주는 수업방법이다. 즉, 배워야 할 학습내용을 그림이나 이미지로 생각하면서, 그 생각한 이미지를 시각적으로 표현하는 것이다. 기존 수업방법은 학생들의 인지과정을 따로 분리된 2개의 과정으로 가정했다. 지각을 통한 정보 수집과 사고를 통한 정보 처리를 별개의 과정으로 간주한 것이다. 하지만 시각적 사고에서는 이 두 개의 인지과정이 서로 중첩되어 발생하는 것으로 가정함으로써 눈으로 보는 행위와 사고로 이해한다는 행위가 자연스럽게 연결되도록 한다. 구체적으로 시각적 사고의 단계는 자료를 보는 단계(seeing), 봄으로써 생겨난 아이디어가 이미지로 구체화되는 발상의 단계(imagining), 이 이미지화된 발상을 어떤 형태의 그림으로 표현하는 단계(drawing)로 나눌 수 있다.

2) 핵심 요소

(1) 핵심어 추출

교사가 제시한 주제에 대하여 학생들은 서로 논의하면서 주제와 관련한 꼭 필요한 단어를 찾아내야 한다. 이 단어들은 주제의 내용, 특징, 성격 등을 반영하기 때문에 학습해야 하는 것들이다. 다시 말해, 그 주제는 이 핵심어를 통해 파악할 수 있다. 교사는 학생들에 의해 핵심어가 파악되면 이를 시각적으로 표현해 보도록 발상을 격려해야 한다.

(2) 레이아웃

레이아웃은 핵심어 및 핵심어에 대한 발상된 구체적인 이미지를 시각적으로 표현할 때 어떻게 하면 유의미하게 될 것인지를 고민하고 계획하는 작업을 말한다. 레이아웃은 대개 큰 종이나 화면 위에 핵심어와 이미지를 펼쳐 배치하는 것으로 시작한다. 레이아웃은 여러 형태로 나타낼 수 있다. 개념도(concept map)나 마인드맵을 이용하여 표현하거나, 벤다이어그램이나 순서도(flow chart)처럼 포함관계나 절차처럼 표현하거나, 나무(tree)의 가지처럼 확장적 표현을 하거나, 간단한 만화나 삽화처럼 표현할 수도 있다. 여러 형태의 레이아웃을 시도해 보고 그 중에서 주제를 파악하는 데 가장 유의미하고, 집단의 생각을 가장 잘 나타낸 것을 선택하여 시각적으로 나타낸다.

(3) 공감 나누기

시각적 표현이 완성되면 각 집단별로 발표를 하고 서로 의견과 피드백을 주고받으면서 생각을 나누어보는 시간을 갖는다. 주제에 대한 시각적 그림이나 이미지가 직관적으로 쉽게 이해할 수 있는 경우도 있지만 종종 왜 그런 그림이나 이미지로 표현되었는지 설명을 듣지 않으면 이해할 수 없는 경우도 있다. 공감이란 직관적이거나 아니면 설명을 통해서 주제에 대한 그림과 이미지의 내용을 함께 생각해 보는 것을 말한다.

3) 절차와 적용 사례

• 주제: 미래교육의 모습

• 핵심어 추출: 위키피디아(우리 모두의 백과사전), 집단지성, 가상현실, 코딩, 컴퓨터, 빅데이터 등

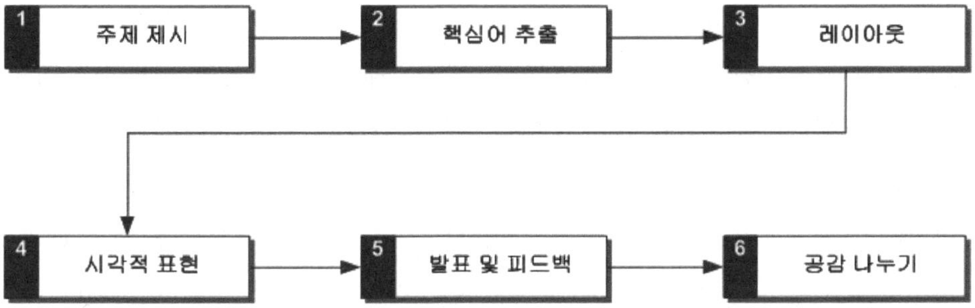

① 교수자가 주제를 제시함.

② 집단별로 학생들은 주제 안에서 핵심어를 추출함.

③ 각 집단은 핵심어에 적합한 이미지나 그림을 생각함.

④ 각 집단은 핵심어에 적합한 이미지나 그림을 종위 위에 배치함(레이아웃).

⑤ 각 집단은 적절한 형태로 시각적 표현을 함.

⑥ 각 집단은 시각적 표현을 발표하고 동료와 교수자에게 피드백을 받음.

⑦ 각 집단은 서로의 시각적 표현을 이해하고 공감을 표현함.

[그림 1] 수업 중 시각적 표현을 하는 모습

5. 사례가이드학습(Case-Guided Learning: CGL)[8)]

1) 개념과 특징

다양한 소사례를 이용하여 교사가 제시한 학습주제와 그 주제를 구체화한 학습과제를 완성하거나 해결하는 수업모형이다. 구체적으로 학생들이 여러 소사례 속에 공통적으로/특징적으로 들어있는 차원(혹은 구조, 특성, 성격)을 상이한 관점에 기반을 두고 협력적으로 파악해가는 과정에서 발견되거나 드러나는 학습이슈를 학습한다. 학습과제를 집단별로 해결하는 과정에서 소사례는 중요하고 필수적인 학습자원으로 이용된다. 소사례의 경우, 학생들에게 실제로 발생했던 직접적 사례가 가장 바람직하지만, 자신이 아닌 다른 사람에게 발생했던 간접적 사례들도 활용할 수 있다.

많은 학습이론이나 교수이론은 사례를 중시한다. 사례는 실제 발생했던 사건, 사태 등의 주요 내용들이 내러티브와 이야기 형태로 이루어져 있어서 사례를 많이 안다는 것은 관련된 사건과 사태의 주요 내용들을 많이 안다는 것과 같다. 전문가는 사례를 많이 접한, 또는 사례를 풍부히 알고 있는 사람이다. 교육상황에서도 사례의 중요성은 매우 크다. 그럼에도 불구하고 사례를 교수-학습상황에서 어떻게 활용해야 하는지에 대한 설계와 모형에 대한 연구는 드물다. 사례기반교수법이라는 수업방법이 있지만 구체적인 절차와 단계에 따른 모형이라기보다는 사례를 교수-학습에 이용하는 일반적 명칭이다. 따라서 사례기반교수법은 사례를 실제 수업에서 어떻게 사용해야 하는 지에 대한 구체적인 절차를 제시하지 않는다. 하지만 CGL은 사례를 실제 수업에 어떻게 활용하는 것에 대한 구체적인 절차를 밝히면서 교수-학습과정에서 사례의 역할을 접목시키는 형태를 제시하고 있다.

---

8) 이하의 내용은 조규락(2019)에서 발췌, 요약한 것이다. 사례가이드학습은 최근 개발연구를 통해 완성한 기존에 없는 새로운 수업모형이다. 개발과정 중에 영남대학교 대학 수업과 대구시 ○○중학교 사회과 수업에서 적용을 해 본 것이 전부이기 때문에 아직 초중고의 수업을 대상으로 실시한 현장 연구 사례가 없다. 보다 자세한 내용은 학술지를 참고하기 바란다. 조규락(2019). 사례가이드학습(CGL) 수업모형의 개발 및 적용 사례 연구. 학습자중심교과교육연구, 19(2), 693-718.

2) 핵심 요소

(1) 학습주제(learning theme)와 학습과제(learning task)

학습주제는 학습자가 학습해야 하는 내용과 화제 혹은 표제(topic)이며, 학습주제는 교수자에 의해 학습자들에게 학습과제로 제시된다. 학습자들은 문제의 형태로 부과된 학습과제를 해결해야 한다.

(2) 소사례(mini-cases)

하나의 학습주제는 발생한 혹은 발생할 수 있는 관련된 많은 소사례들이 포진해 있다. 소사례는 실제적 현상과 경험으로 이루어진 구체적 내러티브 이야기다. 소사례는 학습주제와 과제를 위한 학습자원으로서도 역할을 하게 된다. 교수자가 마련하여 학습자들에게 배포할 수도 있으며, 사전에 학습자들에게 조사하고 제출하도록 할 수도 있다. 학습자들에게 조사하고 제출하도록 한 소사례는 동료들이 직접 작성한 사례이며, 이를 학습자가 다시 읽고 탐색하게 됨으로써 동료들의 학습주제에 대한 생각을 확인할 수 있는 경험을 하게 된다. 이런 경험을 통해 자신과 동료들의 생각의 차이가 어느 정도인지를 비교해보는 소중한 기회를 갖는다.

(3) 차원(dimensions), 관점(perspectives), 해석(interpretations)

소사례들은 내적인 구조체계인 차원(혹은 구조, 특성)이 있으며, 이를 해석하기 위한 외적인 참조체계인 여러 관점이 존재한다. 차원은 내러티브를 이루고 있는 등장 주체로서의 인물이나 동물, 기관들과 그 주체들이 서로 영향을 주고받는 특정의 사건, 그리고 그 사건이 발생하는 환경 혹은 상황이다. 관점은 소사례의 내러티브를 이해하고 해석할 때 해석자가 의존 혹은 의지하는 다양한 시각들인데, 여기에는 개인적, 학문적, 사회적, 정치적, 경제적, 시사적, 조직적, 집단적 등과 같은 학문적인 시각이나 이익집단의 시각들이 포함된다. 소사례들은 각각 여러 차원들이 내재되어 있어서 누구의 관점 혹은 어떤 시각과 입장이냐에 따라 다양한 해석들이 존재한다. 예컨대, 같은 사례(동일한 차원, 구조)를 해석할 때 어떤 외적 시각(입장 또는 측면)을 갖느냐에 따라 다른 해석이 존재할 수 있고, 상이한 사례(다른 차원)를 해석할 때 동일한 시각에 따라 동일한 해석이 존재할 수 있다. 여러 소사례들을 탐구하는 과정 속에서 소사례들에서 나타나는 공통점, 차이점 등의 중요한 사항들을 발견할 수 있다.

(4) 학습이슈(learning issues)

학습과제 완성을 위해 학습자들은 소사례 속에 내재된 관점, 차원을 팀별 협력을 통해 해석해야 한다. 이 과정에서 더 조사하고 파악해야 할 사항들이 나타난다. 소사례들의 탐구만으로 부족하기 때문이다. 학습이슈란 소사례를 탐구한 결과로 나타나는 더 깊고 자세히 알아야 할 자율학습 과제다. 소사례를 탐구한 결과가 학습 팀별로 다르고, 무엇을 더 알아야 하는지에 대한 것도 다를 수 있기 때문에 학습이슈들은 팀별로 다를 수 있다.

(5) 잠정 해결안(preliminary solution)과 최종 해결안(final solution)

잠정 해결안은 아직 완성이 되지 않은 해결안으로 CGL 모형의 단계에 따라 발표, 피드백, 학습이슈 재정립 후 수정을 통하여 최종 해결안으로 완성되어 마지막에 제출한다.

(6) 발표(presentation)와 피드백(feedback)

잠정 해결안이 완성되면 이를 타 팀 및 교수자를 대상으로 발표한다. 발표 후에 타 팀원들과 교수자로부터 질의응답 및 코멘트 시간을 갖는다. 다른 팀이 발표하는 내용과 자료를 보면서 자기 팀의 해결안을 수정할 기회를 갖는다.

(7) 학습이슈 재탐색

학습이슈 재탐색이란 잠정 해결안에 대한 피드백을 받고 난 후에 피드백의 조언에 따라 이전 소사례 탐구 후에 결정했던 학습이슈를 다시 확인하는 작업이다. 피드백의 내용에 따라 학습이슈 재탐색의 방향이나 범위가 달라진다.

(8) 적응적 교수-학습지원(adoptive teaching-learning support)

소사례의 탐구 결과는 팀별로 다르게 나타날 가능성이 크다. 때문에 소사례들의 탐구

결과에 따라 결정된 학습이슈도 팀별로 상이하다. 또한 팀별로 협력적 문제해결의 활동 내용도 차이가 나게 마련이다. 적응적 교수-학습지원이란 팀별로 상이한 상황에 맞도록 교수-학습지원도 상이하게 제공되어야 한다는 것이다.

3) 절차와 적용 사례

- 주제 및 해결과제: 유능한 교사란 누구인가?
- 소사례: 지금까지 수업을 받아 본 초중등학교 교사 중에서 가장 유능한 교사라고 생각되는 선생님을 선정하여, 그 이유를 작성하세요.

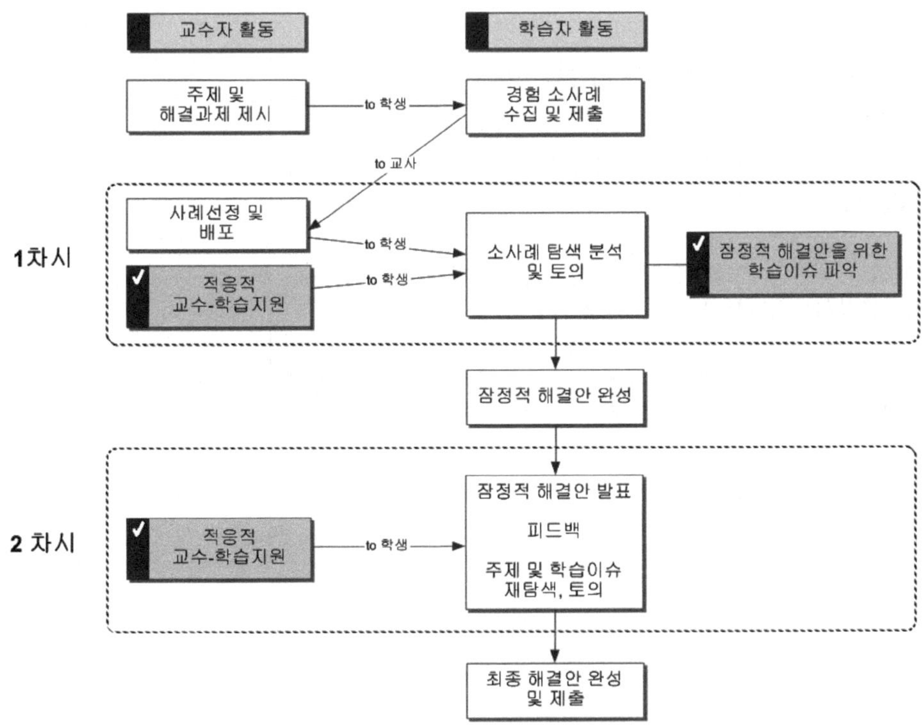

① 교수자는 과제로써 학생들에게 소사례를 작성하여 제출하도록 함.

② 학생들은 소사례를 완성하여 교수자에게 제출함.

③ 교수자는 학생들의 소사례를 읽고 적합한 사례를 3-5편을 골라 복사하여 집단별로 배부함.

④ 집단별로 학생들은 배부 받은 적합한 소사례를 읽으면서 소사례를 탐색, 분석하고 학습이슈를 파악함(CGL 사례분석 및 탐색 활동지 완성).

⑤ 각 집단은 학습이슈를 개인별로 완성하며 집단별로 모여서 잠정적 해결안을 완성함.

⑥ 각 집단은 잠정적 해결안을 발표하고 동료와 교수자에게 피드백을 받음.

⑦ 각 집단은 피드백을 참고로 하여 주제와 학습이슈를 재탐색함.

⑧ 각 집단은 최종 해결안을 완성하고 제출함.

〈표 2〉 CGL 사례분석 및 탐색 활동지

주제와 해결과제에 대한 구성원의 일반적 생각	
주제와 해결과제에 관련된 소사례에서 나타난 특이사항 (기록사항들, 공통점, 차이점 등등)	
소사례에서 나타난 다양한 관점, 입장, 측면 (예: 정치/사회/문화 관점, 교장/교사/학부모/학생 입장, 거시/미시 측면 등등)	
자율학습과제으로 조사해야 할 사항: 소사례에는 없지만 과제를 해결할 때 필요한 관점, 입장, 측면과 관련된 지식	
만날 장소, 시간, 기타사항	

Ⅶ 학생상담 : 원리와 방법

이 장에서는 교사가 학습과 생활의 장면에서 학생과 진행하는 상담에 대한 일반 원리와 구체적인 방법 및 기법에 대해 소개한다.

1. 학생상담의 원리

1) 학생의 발달단계 특성을 이해하고 이에 맞춘 상담을 한다.

청소년기는 자아정체감을 형성하고 친밀감 획득을 위한 노력을 시작하는 시기이다. 청소년 상담에서는 자신이 누구인지에 대한 정의를 더 넓고 선명하게 해 나가는 일과 동성 및 이성과 더 만족스럽고 깊은 친밀 관계를 형성할 수 있도록 돕는 일이 중요하다. 청소년기에는 보통 다음과 같은 고민이 있다.

① 외모에 대한 우월감이나 열등감
② 추상적, 회의적, 비판적 사고 성향
③ 정서적 불안정(감정의 기복이 심함)
④ 자율성의 발달로 강한 독립의 욕구
⑤ 친밀한 관계 형성과 관련된 스트레스와 무능감

2) 양가적 감정과 이로 인한 불안을 이해하고 이에 맞춘 상담을 한다.

청소년들은 학업에 대해서 걱정되고 불안하여 열심히 준비하고 싶은 마음과 놀고 싶고 포기하고 싶은 욕구, 교수와 부모에게 도움을 받고 의지하고 싶은 욕구와 자율적이고 독립적이고 싶은 욕구, 친구에 대해서는 친밀하게 어울리고 싶은 욕구와 경쟁에서 이기고 싶은 욕구가 함께 있다. 따라서 학생 상담시 어느 한쪽으로 기울지 않도록, 자율성과 조력이 적절히 균형을 이루도록 주의할 필요가 있다.

3) 학교생활적응, 학교생활만족도를 향상하는 것에 주의를 기울여야 한다.

학교에서 많은 시간 생활하고 사회화와 성장의 기회를 체계적으로 가지는 시기이므로 자신의 여건과 특성에 맞추어 학교생활에 잘 적응하고 그 결과 학교생활에 대한 만족도가 높아지도록 지원, 조력할 필요가 있다. 이를 위해서는 학생으로서의 분명한 정체감, 학교내에서 긍정적 대인관계, 자율성, 성취경험을 가질 필요가 있다.

4) 상담 성과를 높이는 상담관계를 형성해야 한다.

상담의 성과를 높이는 관계 형성을 위해서 상담자로서 학생에게 호감(친밀성), 전문성, 신뢰성을 보일 필요가 있다. 이를 위해 따뜻하고 개방적으로 대화하고 상담 주제에 관한 전문적인 지식과 견해를 준비하며 일치된 태도와 비밀보장을 통해 신뢰성을 갖도록 해야 한다.

2. 학생상담의 방법

1) 학생상담 과정별 방법

(1) 시작하기

상담에서 처음에 하게 되는 첫 말은 일상적이고 가벼운 것이 좋다. 예를 들면 “점심

먹었어?", "오늘은 미세먼지가 심하던데 어디 불편한 데는 없어?"와 같은 것들이다. 그 다음에는 따뜻한 관심과 애정을 표현하면서 동시에 상대방으로부터 긍정적인 답을 구할 수 있는 단어를 사용하면 좋을 것이다. 예를 들면 "내가 ○○를 만나기로 하고부터 처음 만날 일을 계속 상상해서 그런지 낯설지가 않고 몇 번 만난 것 같은 기분이야.", "안녕? 오늘은 ○○에 대해 계속 생각했어."와 같은 식으로 시작하는 것이다.

여기에 대해 무엇이든 반응이 오면 그것이 어떤 반응이든 마음을 알아주는 공감으로 대화를 이어가는 것이 바람직하다. 점심을 안 먹었다고 하면 "저런, 어쩌다? 벌써 2시인데, 배고프겠다.", 미세먼지 때문에 목이 아프다고 하면 "그냥 두면 더 아플 수도 있는데 걱정이네... 따뜻한 물로 목을 좀 헹궈두는 것도 좋을 것 같은데....따뜻한 물을 좀 줄까?" 라고 표현할 수 있을 것이다. 무엇보다 마음에서 우러나오는 것이 최상이다. 표현이 잘 안되면 의도만 전달하고 표현하기 어렵다는 것 까지 전달하면 된다.

(2) 관계 맺기

이제 상대방과 대화를 하거나 상대방의 이야기를 듣기 시작했다면 표현과 음성을 잘 들으면서 상담자는 자신이 가진 모든 민감성을 끌어올려 상대방의 느낌이나 상황, 고민과 아픔이 어떻게 전해지는지 느껴보려고 노력할 필요가 있다. 이때 그 느낌이 전해지는 통로가 시각인지, 청각인지, 촉각인지, 그저 인지적인지 등도 파악할 수 있다면 이후에 상대방의 코드에 맞추어 대화를 해 나갈 수 있어서 더욱 효율적으로, 상대방 친화적으로 진행해 나갈 수 있다. 예를 들어 도움을 필요로 하지만 절망스럽기만 한 상태를 시각 중심적인 표현을 하는 상대방은 "앞날이 깜깜해요", 혹은 "앞이 안 보여요"라고, 청각 중심적인 내담자는 "내 목소리에는 돌아오는 메아리가 없어요"의 방식으로, 촉각 중심의 내담자는 "아무리 손을 휘저어도 지푸라기 한 올 잡히지 않아요"와 같이 표현할 수 있을 것이다. 시각 코드의 상대방에게는 시각 코드로 조율해서 언어 표현을 하는 것이 협력적인 관계를 형성하는 데 더 효율적일 것은 쉽게 예상할 수 있다.

(3) 감정 돌보기

상대방의 감정을 돌보는 것은 아픈 배를 쓰다듬어 주는 일이나 가려운 등을 긁어주는 일에 비유될 수 있다. 어디가 아픈지, 가려운 곳이 정확히 어디인지를 파악해야 그곳을 긁어주거나 쓰다듬어줄 수 있는 것 처럼 상대방의 감정이 정확히 어떤 것인지, 무엇인지를 알아야 그것을 적절하게 다룰 수 있다. 따라서 모든 감각을 동원해서 민감하게 알아차릴 필요가 있다. 그러나 달리 말해서 정확히 가려운 그곳을 긁지 못했어도 최선을 다해 그곳이라고 생각되는 곳을 일단 긁어주면 상대방이 정확한 위치를 안내해주므로 안내를 따라 정확한 공감을 전달할 수 있다. 주로 겪는 힘든, 그래서 돌봐줄 필요가 있는 감정은 다음과 같은 것들이다.

(가) 상실과 슬픔

우리 인간은 살아가면서 많은 것을 잃는다. 즉 신체적 건강, 삶의 확실성, 안정성에 대한 확신, 가족, 자신의 역할과 정체성, 직업, 생산적이고 유능하다는 느낌, 독립성, 제어능력, 친구라고 생각했던 사람들, 애완동물이나 식물, 미래, 애착을 갖는 소유물, 희망, 의미 등을 포함한다. 모든 사람이 이 모든 상실을 다 겪는 것은 아니지만 일부분은 반드시 겪는다. 상실에 대한 자연스러운 반응은 슬픔이다. 의사소통을 통해 이들의 상실과 슬픔, 우울을 공감해 주어야 한다. 충분히 적절하게 공감받았다고 느낄 때 대부분의 상대방은 스스로 상실 속에서 더 값진 의미를 찾을 수 있다. 밀물과 썰물처럼 슬픔과 의미 발견의 과정이 반복되면서 심화될 수 있으므로 반복적으로 충분히 공감하는 것이 좋다.

(나) 외로움과 고립

삶의 과정에서 모든 사람들은 때때로 그 자신이 철저히 혼자라고 생각한다. 그럴 때 그 외로움을 수용하고 인정하고 존중해 줄 필요가 있다. '그렇게 느끼지 마세요'는 절대로 답이 될 수 없다. 나 역시 같은 외로움을 현재 겪고 있는 것은 아니지만 그 감정이 청소년을 얼마나 힘들게 할지 생각하고 그 힘듦을 그 무게만큼 알아주는 것은 대단히 중요하다.

(다) 쓸모없다는 느낌

자신을 쓸모없는 사람이라고 느끼는 것은 청소년기에 흔히 나타나는 것으로서 청소년기에 이상적인 자아상과 현실적인 자아상이 다르면서 지각하게 되는 사회적, 감정적, 신체적 한계 때문에 발생하는 것이다. 쓸모없다는 느낌은 사람의 성취능력을 평가하는 문화와 사회적 체계에서 가장 크게 발생한다.

(라) 분노

분노는 직접적이거나 간접적으로 표현될 수 있는 걱정과 위기감에 대한 반응이다. 분노는 인간으로서 받아내고 견뎌내기에 가장 힘든 감정 중 하나이다. 상대방의 격렬한 분노 반응을 자연스러운 것으로, 일상적이지만 결국 지나가는 것으로 받아들이되 무시하거나 사소히 여기는 것이 아니라 그 깊이와 무게만큼 존중하는 대응이 바람직하다.

(마) 불안과 두려움

걱정이란 미래의 위험에 대한 예측에서 생기는 불안, 불편함이다. 반면 두려움이란 인식이 되면서 보통 외부적이고 협박이나 위험적인 요소에 의해 생기는 불안이다. 멘토는 상대방이 걱정스런 느낌에 대해서 말할 수 있도록 그리고 탐색할 수 있도록 도와주어야 한다.

정확하게 짚어냈다는 자신이 없거나 혹시 파악한 감정이 정확한 것이 아닐 경우를 대비해서 할 수 있는 화법은 간접적이고 미결정적인 화법이다. 즉 "불안하지?"가 아니라 물음표가 없는 간접적 질문(예: "불안한가 봐")과 가설적인 형태(예: "불안하지는 않은지…")로 공감하는 것이다(예: "지금 불안한 것처럼 보여", "내가 보기에 불안한 것 같아").

(4) 마음 당기기

학생의 마음을 당기는 것은 학생의 잘한 행동을 칭찬하고 학생의 긍정적인 면을 인정해 주는 것, 상담자로서 내가 가진 전문성과 호의를 보여주는 것을 통해 할 수 있다. 잘한 행동의 기저에 있는 학생의 긍정적 특성, 즉 강점을 확인하는 것이 바람직하다.

학생이 부정적인 행동이나 성격이라고 생각하는 것의 이면에 있는 긍정적인 점을 찾아서 보여주는 것은 매우 바람직하다. 이것을 가정이나 질문의 형태로 표현하면 더욱 안전하고 학생주도적인 상담이 될 수 있다("뭐든지 미룬다고 했는데 미뤘다가 짧은 시간에 몰입해서 해치우는 힘이 있는 것 같은데?", "선생님에게 대들었다니, 말하기 어려운 상대에게라도 꼭 할 말은 하는 성격인가봐?)".

(5) 핵심작업

핵심작업은 그 상담 회기에서 꼭 할 일, 할 말을 나누는 것이다. 핵심작업으로는 기대와 격려, 조언과 충고가 대표적일 것이다. 이를 학생의 문제를 제시→ 문제와 해결책 제시 → 해결책을 적용했을 때 기대, 예상할 수 있는 결과 제시의 순서로 하면 좋을 것이다.

(6) 마무리: 요약과 과제 제시

마무리에서는 요약, 과제제시, 메시지제시를 하는 것이 바람직하다. 마무리에서 상담자로서 꼭 하면 좋을 일은 추후 실행에 대한 믿음과 기대를 표현하는 것이다. 과제 제시와 메시지 제시는 순서가 바뀌어도 무방하다. “오늘 나는 네가 학교에서 겪는 불편함이 크게 세 덩어리라는 것을 들은 것 같아. 친구의 시비에 짜증나는 마음, 수업시간에 잘 알아듣지 못해 괴로운 마음, 그 좋아하던 체육시간이 제일 싫은 시간이 된 것. 네가 요약하면 오늘은 뭘 했니, 우리가?(요약)”, “이야기를 통해 나는 네가 친구들과도 수업에 대해서도 더 잘 하고 싶은 마음이 있다는 것을 알게 된 거 같아. 선생님들에게도 친구들에게도 별로 보이는 마음은 아니지만 너는 분명히 그 마음을 가지고 있네(메시지)”, “우리가 이야기한 대로 적어도 선생님 한분, 친구 한 사람에게 좋은 마음을 표현하고 오기로 하자. 쉽진 않겠지만 의미 있는 출발이 될 거 같은데...네 생각은 어때?(과제 제시)”.

2) 학생상담 대화기법

(1) 주의집중과 경청

경청은 신중하게 주의하면서 듣는 것(웹스터 사전)인데 상담에서 경청은 청각적, 시각적 자극을 받아들이고, 그것에 집중하며, 그것들에 의미를 부여하는 과정이라 할 수 있다. 상담에서 경청은 학생의 이해와 관계 발달에 필수적인 것으로서 머리 끄덕이기, 적절한 미소, 어조의 변화, 보살핌과 지지의 표현을 통해 전달된다. 다음은 주의집중하고 잘 듣고 있음을 전달하는 자세이다.

① 자세 : 몸을 약간 앞으로 내밀고 어깨와 다리를 상대방을 향하도록 한다.
② 머리 : 청소년 쪽으로 머리를 약간 기울인다. 가끔 머리를 끄덕이는 것도 주의집중의 신호를 전달한다.
③ 얼굴표정 : 첫인상이 중요하다. 사람을 쳐다보았을 때 50초안에 그 사람의 말을 들을 것인가 말 것인가를 생각하고 5분 안에 결정을 내린다. 옷차림과 좋은 표정과 인상은 상대방의 마음을 열게 하는 중요한 열쇠이다. 온화하고 부드럽고 공손해야 한다. 지루한 표정, 귀찮은 표정은 금물이다.
④ 눈 : 55%의 몸짓 중 눈빛이 35%이다. 청소년의 눈높이와 맞추는 것이 좋고, 서서 청소년을 아래로 쳐다보는 것보다 앉아서 이야기 하면 눈높이를 일치시키고 안정감이 생긴다. 대화할 때는 눈을 맞추며 부드럽게 서로 일치시키고 미간을 본다. 눈맞춤을 하고 응시하는 사람들은 눈 접촉을 하지 않는 사람들보다 더 많은 주의, 관심, 따뜻함, 공감, 친숙함, 정직, 성실, 신뢰를 드러낸다.
⑤ 거리 : 팔이 미칠 수 있는 거리로서 심리적 거리를 나타낸다. 친밀한 거리는 50cm이다.

(2) 환언하기

환언은 학생의 말과 아이디어를 상담자의 표현으로 다시 말하는 것이다. 상담자가 학생의 이야기를 경청, 이해하고 있다는 것을 확인시켜줄 수 있으며 부정확한 것들을 고칠 수 있는 기회를 제공할 수 있다. 다음과 같이 표현하는 것이 바람직하다.

① 내가 그것을 이해하기에는 …
② 다른 말로 표현하자면 …
③ …처럼 보이네.

(3) 질문하기

질문은 학생의 자기표출을 증진한다. 탐색적 질문을 한 상담에 대해 내담자들이 상담과정을 더 긍정적으로 평가했다는 연구결과도 있다. 여러 질문 기법을 보자.

(가) 목표설정질문

상담자와 내담자가 함께 해결 가능한 문제와 취득할 수 있는 목표에 대해 서로 협상하는 과정에서 필요한 질문이다. 학생이 미래에 초점을 맞추게 하여 얻고자 하는 것이 무엇인지 분명하게 해주고, 목표를 설정할 때 학생이 할 수 있는 것을 정해 스스로 실천해 나갈 수 있도록 돕는다. 이렇게 할 때 학생이 상담을 통해 얻고자 하는 것이 무엇인지 분명하게 해주고, 자신이 할 수 있는 것을 정해 스스로 실천해 나갈 수 있도록 도울 수 있다. "오늘 상담을 통해서 무엇이 달라지기를 기대하니?" 혹은 "오늘 무엇이 달라지면 상담 받기를 참 잘했다는 생각이 들까?"로 질문할 수 있다.

(나) 코칭질문

질문을 통해 학생이 스스로 답으로 다가가도록 돕는 질문이다.

"너를 어렵게 하는 것이 무엇이야?"

"무엇을 얻으려고 시도했어?"

"그것을 얻었니?"

"어떻게 얻었다고 설명할 수 있을까?"

"지금까지 말한 것 외에 내가 도움이 될 수 있는 부분이 있을까?"

"그것이 되면 뭐가 어떻게 좋아질까?"

"그것이 되면 그것이 네 삶에 어떤 영향을 줄까?" 등의 질문이 예가 될 수 있을 것이다.

(다) 대처질문

문제 상황에서 대처한 행동에 대한 질문이다. 학생의 강점을 통해, 문제 상황을 더 악화되지 않게 견뎌 낸 방안을 스스로 인지하게 하여, 그것을 강화하기 위한 질문이다. 대처질문은 부정적 관점을 좀 더 긍정적 관점으로 재구성하게 돕는다. 대처질문을 통해 역경 가운데서도 잘 지탱해온 학생의 능력을 존중하는 것이고 의미 있음을 말해줄 수 있다. 학생 자신이 현재의 문제를 해결하려고 시도하고 있다는 것을 알게 해 주는 것은 학생이 자신을 믿게 하는 동기를 제공하게 된다. "어떻게 상황이 더 악화되지 않도록 할 수 있었어?", "더 나빠지지 않도록 할 수 있었던 행동이 있었다면 그것은 무엇이지?"와 같은 질문이 예이다.

(라) 척도질문

목표 성취에 이르는 과정이 힘들고 실행이 불가능할 것 같은 불안감에 처해 있는 학생에게 측정 가능한 척도로 목표 성취 정도를 가늠하게 함으로써 부담감을 줄일 수 있으며, 또한 실행 가능한 작은 단위로 나누어 목표를 향해 나아갈 수 있는 실질적인 방법을 생각해 볼 수 있도록 한다. 척도질문은 학생의 변화에 대한 동기를 강화하고 다음 단계로 나아가기 위하여 구체적으로 무엇을 해야 할 지를 탐색 가능하게 한다. 척도 질문의 예로는 "1부터 10 까지의 척도를 상황에 주어지고 가장 어려운 상황을 1로 나타내며 10은 가능한 최상의 해결을 이룬 상태를 나타낸다고 할 때, 문제가 되는 상황을 수치로 표현한다면 어느 수준이니?", "힘든 상황인데도 이런 숫자에 이르렀네. 어떻게 그렇게 할 수 있었어?", "그 다음 숫자로 나아가게 된다면 지금과 어떻게 달라질까?", "어느 정도 수준이면 네가 괜찮다고 느낄 수 있을까?" 등이 있다.

(마) 회기종결질문

회기종결시에 학생에게 하면 좋을 질문들이다. "오늘 상담을 하고서, 지금 어떤 것을 마음에 담아 가니?", "지금 좀 편안한지? 또 상담에 대해서 어떤 기대를 지금 하고 있는지? 생각하는 거나 가지고 있는 느낌 뭐든지 이야기를 한다면?", "오늘 상담을 통해 어떤 결정을 한 것이 있어?", "그러한 결정을 어떻게 내렸어? 그 결정의 이점은 무엇일까?", "네 자신과 너의 결정에 대해 배운 점은 무엇이야?", "네가 배운 것을 언제 어떻게 행동으로 옮길 건데?" 등이 있다.

| 부록 |

학습지도안의 예

1. 도덕과 학습지도안
2. 국어과 학습지도안
3. 사회과 학습지도안
4. 수학과 학습지도안
5. 과학과 학습지도안
6. 기술·가정과 학습지도안
7. 체육과 학습지도안
8. 음악과 학습지도안
9. 미술과 학습지도안

Ⅰ. 도덕과 학습지도안

1. 단원명

대단원 : Ⅰ. 삶과 도덕
소단원 : 1. 삶의 의미와 도덕

2. 학습목표

(1) 어떠한 삶이 보람 있고 가치 있는 삶인가를 설명할 수 있다.
(2) 된 사람의 의미와 도덕의 필요성을 말할 수 있다.
(3) 양심의 의미와 역할 및 양심과 도덕의 관계를 설명할 수 있다.
(4) 관습, 법, 예절, 도덕의 의미와 차이점을 알 수 있다.
(5) 도덕적인 생활을 위해 필요한 요소들을 말할 수 있다.
(6) 도덕적 지식과 실천 의지, 실천의 중요성을 설명할 수 있다.

3. 단원별 학습과제 분석

주제 및 차시	쪽 수	학 습 과 제
(1) 도덕의 필요성	8~15	주변에서 양심적인 사람 조사하기
(2) 양심과 도덕	16~23	관습, 법, 예절, 도덕의 차이점 조사하기
(3) 관습, 법, 예절, 도덕의 관계	24~30	우리가 본받아야 할 인물들 조사해 오기
(4) 도덕적인 사람의 모습	31~38	자신의 모습을 돌아보고, 자신을 특징짓는 것을 10가지 이상 적어오기

4. 대단원 지도 계획

<table>
<tr><th rowspan="2">대단원</th><th rowspan="2">주제명</th><th colspan="2">시 간</th><th rowspan="2">학습의 형태</th><th rowspan="2">지도상의 유의점</th></tr>
<tr><th>차시</th><th>누계</th></tr>
<tr><td rowspan="4">Ⅰ. 삶과 도덕</td><td>(1) 도덕의 필요성</td><td>1~2</td><td>2</td><td>소집단 토의학습</td><td>심화·보충 과정 운영</td></tr>
<tr><td>(2) 양심과 도덕</td><td>3~4</td><td>4</td><td>소집단
개별화학습</td><td>심화·보충 과정 운영</td></tr>
<tr><td>(3) 관습, 법, 예절, 도덕의 관계</td><td>5~6</td><td>6</td><td>소집단
개별화학습</td><td>심화·보충 과정 운영</td></tr>
<tr><td>(4) 도덕적인 사람의 모습</td><td>7~8</td><td>8</td><td>소집단 토의학습</td><td>심화·보충 과정 운영</td></tr>
</table>

5. 차시별 학습지도 계획

<table>
<tr><td>영 역</td><td>Ⅰ. 개인생활
1. 삶의 의미와 도덕</td><td>학년</td><td>1</td><td>시간</td><td>1-2 / 8</td></tr>
<tr><td>소단원</td><td colspan="5">(1) 도덕의 필요성</td></tr>
<tr><td>학습
목표</td><td colspan="5">1. 우리 삶의 과정에서 도덕의 필요성을 열거할 수 있다.
2. 도덕적인 인간은 된 사람임을 알고, 된 사람의 특성을 설명할 수 있다.
3. 중학생으로서 된 사람이 되기 위해 갖추어야 할 바람직한 태도를 말할 수 있다.</td></tr>
<tr><td>학습
모형</td><td colspan="5">협동학습 및 탐구보고서 학습</td></tr>
<tr><td rowspan="2">학습
요소</td><td>국가 수준</td><td colspan="4">학교 수준</td></tr>
<tr><td>· 우리의 일생
· 인생과 목표
· 난 사람과 된 사람
· 도덕 교과의 필요성</td><td colspan="4">· 우리 일생의 단계
· 보람 있고 가치 있게 사는 길
· 난 사람, 된 사람 뜻 알기
· 난 사람 인물 찾기
· 된 사람 인물 찾기
· 나의 묘비명 쓰기
· 도덕 교과를 배우는 이유</td></tr>
<tr><td>평가
요소</td><td colspan="5">· 인간의 삶에서 도덕이 필요한 이유
· 된 사람의 특성
· 중학생으로서 된 사람이 되기 위한 길
· 예습과제의 치밀한 준비성
· 모둠별 협동작품의 완성도
· 모둠별 협동성(자기 역할의 충실성)
· 탐구 보고서의 내용 및 발표(모둠 전체 참여도, 자료내용 분석 정도 등)</td></tr>
</table>

과제 제시	· 나의 인생과 계절의 관계 찾기 · 나의 인생 곡선 그리기 · 나의 삶을 가치 있게 사는 방법 · 신문이나 주변에서 난 사람과 된 사람 찾아보기 · 난 사람과 된 사람 비교하기 · 부모가 바라는 내 모습 쓰기 · 나의 묘비명 쓰기 · 도덕 교과를 배우는 이유 쓰기 · 신문이나 인터넷에서 도덕 문제를 다루고 있는 내용을 중심으로 NIE나 도덕 신문 만들기

6. 차시별 교수-학습과정안

<table>
<tr><td colspan="2">소 단 원</td><td colspan="2">1. 삶의 의미와 도덕</td><td>주 제</td><td colspan="2">(1) 도덕의 필요성</td></tr>
<tr><td colspan="2">학습제재</td><td colspan="2">일생과 된 사람, 도덕 교과교육</td><td>교과서</td><td>8쪽~15쪽</td><td>차시 1~2/10</td></tr>
<tr><td colspan="2">학습목표</td><td colspan="5">· 지 식 : 된 사람의 의미와 도덕의 필요성을 말할 수 있다.
· 지 적 기 능 : 어떠한 삶이 보람 있고 가치 있는 삶인가를 설명할 수 있다.
· 가치 및 태도 : 된 사람이 되기 위해 도덕적인 삶을 살도록 노력한다.</td></tr>
<tr><td colspan="2" rowspan="2">준 비 물</td><td>학 생</td><td colspan="4">· 교과서, 노트, 발표 자료</td></tr>
<tr><td>교 사</td><td colspan="4">· 파워포인트 자료, 설명자료, 예시자료, 보충자료, 학습지</td></tr>
<tr><td colspan="2" rowspan="4">최 적 의
교수-학습
전 략</td><td>수 업 형 태</td><td colspan="4">· 일반학습모형(소집단 개별화학습)</td></tr>
<tr><td>학습기술 요소</td><td colspan="4">· 자기주장 발표하기, 발표에 적극적으로 참여하기</td></tr>
<tr><td>학 습 조 직</td><td colspan="4">· 전체학습 → 개별학습 → 조별학습 → 전체학습</td></tr>
<tr><td>체험활동내용</td><td colspan="4">· 신문이나 주변에서 난 사람과 된 사람을 찾아 비교하기</td></tr>
<tr><td rowspan="2">학습 단계
및 내용</td><td rowspan="2">시간</td><td colspan="2">교수-학습 활동</td><td rowspan="2">수 준 별
중점 내용</td><td colspan="2" rowspan="2">지도상
유의점
(학습자료
활용계획)</td></tr>
<tr><td>학습촉진활동</td><td>능동적 학습 활동</td></tr>
<tr><td>1.오리엔테이션

2. 학습 목표 제시</td><td>15분</td><td>· 오리엔테이션과 좌석배치
-앞으로 일년간 도덕 수업의 방법 및 방향과 학생들이 해야 할 일들을 설명한다.

· PPT 자료를 이용하여 오늘 배울 학습목표를 제시한다.</td><td>· 교사의 설명을 듣고 도덕 공부를 열심히 하겠다는 각오를 다진다.

· 학습목표를 확인한다.</td><td>· 학습목표를 정확하게 인식하고 학습에 임하도록 유도한다.</td><td colspan="2"></td></tr>
</table>

3.우리의 일생	20분	· 인간의 일생은 일회적이고 유한함을 설명한다. · 과거, 현재, 미래의 나의 삶에 대하여 노트에 써보도록 한다. · 교사 자신의 인생 곡선(과정)을 칠판에 그리면서 설명하여 학생들의 자유로운 발표를 유도한다. · 학생들이 노트에 쓴 것을 발표시킨다.	· 인간은 영원한 존재가 아님을 안다 · 지금까지 일어났던 중요한 일들을 노트에 기록한다. · 교사의 설명을 듣고 자신의 생애에 있었던 기억나는 일들을 자유롭게 발표한다.	· 나의 삶을 가치 있게 사는 방법은 무엇인가? · 부모님이 바라는 내 모습은 무엇인가? · 내 인생 목표를 무엇으로 설정할 것인가?	· 학생들의 활동을 순회하면서 지속적으로 점검한다.
4. 삶의 모습 설명 및 발표		· 인간의 삶이 학생들의 발표처럼 다양함을 설명하고, 든 사람, 난 사람과 된 사람은 어떤 사람을 말하는지 알아보도록 한다.	· 자신이 생각하고 있는 든 사람, 난 사람, 된 사람은 어떤 사람이며 그러한 사람은 누가 해당되는지 발표한다.	· 학습 자료를 학습자의 수준에 맞게 설명한다.	· 자유로이 발표할 수 있는 분위기를 조성한다.
5.난 사람 된 사람 든 사람		· 든 사람, 난 사람, 된 사람 중 삶을 보람 있고 가치 있게 사는 사람은 어떤 사람이며, 학생들은 어떤 사람이 되고 싶은지 질문한다.	· 인생에서 가장 소중하고 가치 있게 여기는 것을 말하고 나는 어떤 삶을 사는 사람이 되고자 하는지를 발표한다.		· 교사는 학생과의 거리감을 없애기 위해 노력하며, 자신의 수준에 맞는 학습지를 배부 받아 차근차근 풀어가는 것이 학습에 도움이 됨을 주지시킨다.
6. 도덕을 배우는 이유	25분	· 현대 사회의 부도덕한 일면을 소개하고 도덕의 의미와 도덕 교과를 왜 배워야 하는지, 교사가 사회자가 되어 학생들의 전체 토론을 유도한다.	· 우리사회에서 난 사람보다 된 사람이 필요한 이유를 알고, 삶의 과정에서 도덕이 필요한 이유와 도덕교과를 배우는 이유를 자신의 입장에서 발표한다.	· 우리 사회에 꼭 필요한 사람, 된 사람이 될 것을 다짐한다.	
7. 학습지 제시		· 학습지를 제시한다.	· 배부 받은 학습지를 해결한다.	· 기본 학습지 제시문항의 성취도 기준(80%)으로 심화나 보충 과정으로 분단 편성을 한다.	

8. 보충·심화 학습	15분	· 교사가 순회하면서 학생들의 학습 수준을 측정하며 질문에 답한다. · 기본 학습지를 80% 이상 맞춘 학생에게는 심화 학습지를, 그 이하 학생에게는 보충 학습지를 제시하며 좌석배치를 안내한다. · 기본, 심화, 보충, 과정을 순회하며 학생들을 지도한다.	· 기본 학습지를 해결하면서 모르는 것이 있으면 교사에게 질문한다. · 자신의 수준에 맞는 학습지를 배부 받아 자리를 이동하여 해결한다. · 배부 받은 학습지를 열심히 해결한다.	· 우리 주변 또는 역사 속의 난 사람, 된 사람 조사 · 삶을 가치 있게 살기 위해 자신의 생활신조를 정하여 기록하기 · 자신의 일생을 어떻게 살 것인가를 생각하며 묘비명을 써 본다.	· 시간이 남는 사람에게 학습 자료를 제시한다.
9. 정리	13분	· PPT 자료와 참고 자료를 통하여 학습내용을 정리한다.	· 학습지와 노트에 중요 학습내용을 정리한다.	· 학습내용정리를 다시 한 번 확인한다.	·학습관련 URL 자료
10. 차시 예고	2분	· 양심과 도덕에 대한 조별 과제를 부여한다. 1) 양심과 도덕과의 관계 2) 양심의 역할 3) 양심의 기원 4) 양심에 대해 잘못 생각할 때 나타날 수 있는 문제점	· 자신의 학습과제를 안다.	※ 과제 - 신문이나 주변에서 양심적인 사람과 비양심적인 사람 조사해 오기 · 사인펜이나 형광펜 준비	

7. 학습지

(1) 기본학습 학습지

주제명	(1) 도덕의 필요성	교과서	PP. 8~15	지도시수	2
학습 목표	·지 식 : 된 사람의 의미와 도덕의 필요성을 말할 수 있다. ·지적 기능 : 어떠한 삶이 보람 있고 가치 있는 삶인가를 설명할 수 있다. ·가치 및 태도 : 된 사람이 되기 위해 도덕적인 삶을 살도록 노력한다.				

◉ (　　)를 채워보세요.

1. 인생의 비슷한 말은? = (　) =사람이 태어나 죽을 때까지 산 동안
2. 인간의 삶 : 유한한 삶, (　)번 뿐인 삶
3. 난 사람이란? :
4. 된 사람이란? :
5. (　　　)를 배우는 이유
 ① 무너져가는 도덕성을 살리고 우리의 생존과 발전을 위해서
 ② 복잡하고 다양한 삶 속에서 올바른 결정과 행동을 위해서
 ③ 우리가 살아가면서 겪을 문제나 갈등을 원만히 해결하기 위해서
 ④ 개인, 사회생활을 올바르고 부드럽게 하기 위해서

(2) 보충학습 학습지

<table>
<tr><th colspan="8">도덕과 제 1학년 1학기 학습지</th></tr>
<tr><td>주 제 명</td><td colspan="2">도덕의 필요성</td><td>차시</td><td>2/10</td><td>교과서 쪽수</td><td colspan="2">8 ~ 15</td></tr>
<tr><td>학습주제</td><td colspan="2">일생과 난 사람, 된 사람, 도덕</td><td colspan="2" rowspan="2">투입
시기</td><td>도입</td><td>전개</td><td>정리</td></tr>
<tr><td>자 료 명</td><td colspan="2">학습내용 기초 정리하기</td><td></td><td>○</td><td></td></tr>
<tr><td rowspan="2">자료내용</td><td rowspan="2">학습의 기본 핵심을 알고
이해할 수 있다.</td><td rowspan="2">자료
유형</td><td>개별</td><td>조별</td><td>되돌아
보기</td><td>한걸음
더</td><td>선택</td></tr>
<tr><td>○</td><td></td><td>○</td><td></td><td></td></tr>
</table>

◉ (　　)를 채우고 문제를 풀어 보세요.
1. (　　　　) : 사회적으로 이름난 사람(돈, 권력, 명예 등을 가진 사람) 2. (　　　　) : 인격을 갖추고 인간미가 넘치는, 인간으로서 성숙한 사람 3. (　　　　) 뜻은? 1) 우리들의 생각이나 행동을 결정하는 기준 2) 선하고 악한 것, 바르고 그른 것의 판단 기준 3) 올바른 (　　　)를 맺는 기준이며, (　　　)를 유지하는 규범 4. 가치 있는 삶 : (　　　)보다는 (　　　)이 되어야 함 5. 우리의 단 한번뿐인 인생을 보람 있게 사는 길에 대해서 바르게 말한 것은? ( ) ① 사회적으로 높은 지위를 차지해야 한다. ② 사람은 우선 재산을 많이 모아야만 한다. ③ 사회적으로 여러 가지 활동을 해야만 한다. ④ 인간적으로 먼저 된 사람이 되어야 한다. ⑤ 학식이 높은 사람이 되어야 한다. 6. 삶에 대한 태도이다. 다음 중 바람직한 것을 고르시오. ( ) ① 우리의 삶은 스스로의 것이므로 다른 사람에게 신경을 쓸 필요가 없다. ② 우리는 언젠가는 죽게 되므로 살아 있는 동안에 무엇이든 원하는 대로 해야 한다. ③ 어렸을 때부터 부모님께 의존해서 생활해왔기 때문에 어른이 되어서도 어려운 문제는 부모님께 맡겨야 한다. ④ 한 번밖에 없는 인생이므로 가능하면 다른 사람에게도 필요한 사람이 되도록 열심히 살아야 한다. ⑤ 인생은 정해져 있는 것이므로 되는대로 살아야 한다. 7. '사람답게 산다'는 말의 진정한 뜻이라고 볼 수 없는 것은? ( ) ① 내 인생의 목표를 위해서 수단과 방법을 가리지 않는다. ② 자기 잘못에 대해 부끄러워할 줄 안다. ③ 다른 사람의 고통을 함께 아파한다. ④ 자신의 인간으로서의 행동을 늘 뒤돌아본다. ⑤ 항상 양심에 따라 살려고 노력한다.

2. 국어과 학습지도안

1. 단원명

대단원 : 3. 시의 화자

소단원 : (1) 차례(茶禮)

2. 학습목표

(1) 시의 운율과 분위기를 살려 낭송할 수 있다.

(2) 시를 바르게 이해하고 감상할 수 있다.

(3) 시조가 우리 정서에 친근감을 주는 이유를 안다.

(4) 화자가 직접 드러나지 않은 시에서도 화자와의 정감을 나눌 수 있음을 안다.

(5) 민요가 친근감을 주는 이유를 안다.

(6) 시적 화자는 시의 상징적 자아임을 알아 시 감상에 적용할 수 있다.

3. 대단원 지도계획

대단원	소단원	차시	학습내용 및 활동	보충/심화 학습 요소	교수-학습 형태
3. 시의 화자	· 단원의 길잡이 (1) 차례(茶禮)	1/4	· 시의 화자에 대하여 알아보기 -화자의 뜻, 기능, 종류 및 특성 · 시 낭송하기(개인/교차/전체낭송) · 화자가 달라질 때의 느낌과 분위기 살펴 보기	· 시 구절의 뜻 이해(보충) · 시에 쓰인 심상 파악(심화)	개념학습 토의학습
	(2) 작은 짐승 (3) 해바라기	2/4	· 시 낭송하기(개인/교차/전체낭송) · 화자 및 청자를 구분해 보기 · 화자 대신 내가 작품 속의 인물이 된 모습 상상하기 · 시의 내용 이해하기 · 시의 화자 찾아 보기	· 시어의 상징적 의미 파악 · 시의 핵심 구절과 주제 파악 (보충) · 시어의 상징성 비교(심화)	토의학습 발표학습

3. 시의 화자	(4) 부자상 (父子像) (5) 초롱불	3/4	· 시 낭송하기(개인/교차/전체낭송) · 시의 화자 찾아 보기 · 시의 분위기 이해하기 · 시의 내용 이해하기 · 시의 정경을 그림으로 그려 보고 느낌을 말하기	· 시조의 뜻 · 시의 주제 파악 (보충) · 시조의 특성 · 시상의 짜임 파악 (심화)	개념학습 토의학습 발표학습
	(6) 달노래 · 단원의 마무리	4/4	· 시 낭송하기(개인/교차/전체낭송) · 시의 화자 찾아 보기 · 시의 내용 이해하기 · 화자의 특성이 두드러진 시 외우기 · 시의 화자 성립이 그 표현 효과와 어떤 관련이 있는지 알아보기	· 민요의 뜻 · 시의 화자가 주는 효과(보충) · 민요의 특성 · 시의 화자가 주는 효과(심화)	개념학습 토의학습 발표학습

4. 차시별(1/4차시) 교수-학습과정안

<table>
<tr><td>대단원명</td><td colspan="2">3. 시의 화자</td><td>소단원명</td><td colspan="2">단원의 길잡이(1) 차례(茶禮)</td><td colspan="2">차 시</td><td>1/4</td></tr>
<tr><td colspan="2">학습 목표</td><td colspan="7">· 시의 화자에 대하여 안다.
· 시의 운율과 분위기를 살려 낭송할 수 있다.
· 시를 바르게 이해하고 감상할 수 있다.</td></tr>
<tr><td colspan="2" rowspan="2">학습 자료</td><td colspan="4">교 사</td><td colspan="3">학 생</td></tr>
<tr><td colspan="4">컴퓨터, TV모니터, 파워포인트 자료, 실물화상기</td><td colspan="3">교과서, 토의 공책</td></tr>
<tr><td rowspan="2">과정</td><td rowspan="2">단계</td><td rowspan="2">지도내용</td><td colspan="2">교 수 - 학 습 활 동</td><td rowspan="2">학습 형태</td><td rowspan="2">시 간</td><td colspan="2" rowspan="2">지도상 유의점</td></tr>
<tr><td>교 사</td><td>학 생</td></tr>
<tr><td>진단 및 계획</td><td rowspan="2">공통 과정</td><td>동기 유발

목표 제시</td><td>· 자신의 애송시를 발표하도록 하여 시에 대한 관심을 불러 일으킨다.
· 학습 목표 제시</td><td>· 자신의 애송시를 자유롭게 발표하고 그 이유도 말한다.
· 확인</td><td></td><td>5분</td><td colspan="2"></td></tr>
<tr><td>분석 및 전개</td><td>단원의 길잡이
시의 화자

시 낭송</td><td>· 교과서 36, 37쪽 읽힌다.
· 시의 화자란?
· 시의 화자에는 어떤 유형이 있는가?
답변에 대하여 보충 설명하고 예를 들어 보인다.
· 윤동주의 '서시'와 정훈의 '밀고 끌고'를 시의 화자를 바꾸어 낭송해 보도록 한다.
· 시 '차례' 낭송하기(개인/교차/전체 낭송하기)</td><td>· 읽기 - 지명독, 묵독
· 시 속에서 말하는 이
1) 시인 자신인 경우
2) 다른 인물을 내세운 경우
3) 드러나지 않는 경우
· 시의 화자에 따라 느낌이 달라짐을 깨닫는다.
· 시의 운율과 분위기를 살려 낭송한다.</td><td>개념 학습</td><td>25분</td><td colspan="2">학생의 경험을 바탕으로한 설명, 감상, 이해가 되도록 지도한다.</td></tr>
</table>

분석 및 전개	공통 과정	내용 이해 느낌 발표	· 이 시의 화자는 누구인가? · 이 시에서 '홍시'와 '수박'의 의미는 무엇인가? · 이 시의 화자가 할머니에 대한 애절한 그리움을 나타낸 부분은? · 이 시를 읽고 난 느낌을 발표 시킨다.	· 어린 손자, 실제로는 장년이 된 어른 · 조별 토의를 통하여 문제를 해결하고, 발표 내용을 정리한다. · 발표 - 할머니와 손자 사이의 사랑과 친근감 · 발표	문답 및 발표 학습	25분	학생의 경험을 바탕으로한 설명, 감상, 이해가 되도록 지도한다.
심화 및 발전	기본 과정	문제 해결	· 토의 과제 제시 1) 시 '차례'의 소재, 주제, 운율, 갈래는? 2) 운율적 요소는? 3) 표현상의 특징은?	· 조별 토의를 통하여 제시된 과제를 해결 · 토의 결과 정리, 발표 · 다른 조의 발표를 듣고 의견을 교환한다.	토의 학습	10분	자유로운 토의가 되도록 한다.
심화 및 발전	보충 과정	문제 해결	· 토의 과제 제시 1) 시 '차례'의 소재, 주제, 운율, 갈래는? 2) '어젯밤에는 달이 오십 년 전 그 날처럼'의 의미는?	· 조별 토의를 통하여 제시된 과제 해결 · 토의 결과 정리, 발표 · 다른 조의 발표를 듣고 의견 교환	토의 학습	10분	골고루 토의에 참여하도록 한다.
	심화 과정	문제 해결	· 토의 과제 제시 1) 시 '차례'의 소재, 주제, 운율, 갈래는? 2) 이 시에 쓰인 심상은?	· 조별 토의를 통하여 제시된 과제 해결 · 토의 결과 정리, 발표 · 다른 조의 발표를 듣고 의견 교환	토의 학습	10분	활발한 토의가 되도록 지도
정리 평가	공통 과정	내용 정리 형성 평가 차시 예고	· 본시 학습 내용정리, 중요한 내용 강조 · 평가 문항 제시 · 차시 예고	· 학습자료 주시, 학습 내용 충분히 이해 · 평가 문항 해결 · 확인		7분	

5. 판서 계획

(1) 시의 화자 : 시 속에서 말하는 이

(2) 화자의 유형 : ① 직접 나서서 말함

② 다른 인물을 내세워서 말함

③ 숨어서 말함

(3) 화자의 기능 : 시에 일정한 성격 부여 ┐

├ 주제의 효과적 표현

알맞은 표정과 태도 ┘

(4) 시 '차례'의 화자 : 할머니를 그리워하는 손자

6. 형성평가

(1) 시의 화자에 대한 설명으로 잘못된 것은? (기본형)

① 시 속에서 말하는 이를 일컫는다.
② 시인의 뜻을 대신 전달하는 사람이다.
③ 시의 주제를 보다 효과적으로 전달한다.
*④ 시인과 화자는 항상 일치하는 인물이다.
⑤ 시의 내용에 따라 다양한 모습으로 나타난다.

(2) 시 '차례'의 화자는 누구인지 한 단어로 쓰시오. (보충형)

(손자)

(3) 시 '차례'의 화자의 정서와 맥을 같이 하는 것은? (심화형)

① 구름에 달 가듯이 가는 나그네
② 잠 이루지 못하는 밤 고향집 마늘밭 눈은 쌓이리
③ 해바라기처럼 해를 보고 살지니
④ 플라타너스, 너는 그 길을 나와 같이 걸었다.
⑤ 얇은 사 하이얀 고깔은 고이 접어서 나빌레라.

3. 사회과 학습지도안

단원명 : Ⅲ. 경제와 시민생활

1. 교재관

인간이 경제 활동을 할 때 항상 당면하는 문제는 필요나 욕구에 비하여 상대적으로 부족한 자원을 가지고 선택을 해야 하는 문제라고 할 수 있는데, 대부분의 사회에는 이런 기본적인 경제문제를 해결하는 방법과 원칙이 있다. 우리 사회에서는 개인의 자유로운 선택, 즉 경제적 자유를 중요한 경제활동의 원칙으로 삼고 있다.

우리 사회와 같이 경제적 자유를 기본적인 원칙으로 삼고 있는 사회에서의 경제 활동을 이해하려면, 첫째, 수요와 공급으로 이루어지는 시장의 개념과 그 속에서 결정되는 가격의 개념을 이해해야 한다. 따라서, 이 단원에서는 기본적인 경제 문제의 발생 원인 및 시장 경제를 이해하고, 더 나아가 우리와 같은 경제적 자유를 기본적 원칙으로 삼고 있는 사회에서 정부가 하고 있는 경제적 역할, 또 국제 교역 등에 대한 이해로 확대하며, 이를 바탕으로 우리 경제가 앞으로 진정한 선진 경제로 나아가기 위해서 해결해야 할 과제로의 연결을 시도하고 있다.

2. 학생관

오늘날 중학교 3학년 학생들에 대한 사회과 교육은 사실의 제시나 용어의 개념설명에 많은 신중을 기해야 한다. 그리고 구체적이고 친밀한 학습자료, 예를 들어 그림, 사진, 지도, 도표, 괘도 및 영상 등의 시청각 자료를 다양하게 활용하여 학생들의 이해를 도와야 할 것이다.

〈학생 실태 조사〉

(1) 사회 과목에 대한 흥미도

구 분	매우 재미있다.	재미있다.	보통이다.	재미없다	계
인원(명)	3	16	15	6	40
비율(%)	7.5	40	37.5	15	100

(2) 사회 과목에 대한 난이도

구 분	아주 어렵다.	어렵다.	보통이다.	쉽다.	계
인원(명)	3	13	24	0	40
비율(%)	7.5	32.5	60	0	100

(3) 사회 과목에 대한 준비도

구 분	매일한다.	가끔한다.	시험칠 때만 한다	안한다.	계
인원(명)	1	32	6	1	40
비율(%)	2.5	80	15	2.5	100

(4) 희망하는 수업형태

구 분	강의식	토의식	설명·문답식	조사·발표식	계
인원(명)	17	12	8	3	40
비율(%)	42.5	30	20	7.5	100

(5) 학습 자료의 형태

구 분	시가 자료 (괘도, 사진, 그림)	청각 자료	시청각 자료	계
인원(명)	8	0	32	40
비율(%)	20	0	80	100

〈결과 분석〉

이상의 조사에서 나타난 결과를 분석하면 다음과 같다.

① 사회 과목에 대한 흥미도는 높은 편이다.

② 사회 과목을 대체로 보통의 난이도로 생각한다.

③ 예습, 복습을 모두 이행하는 학생은 극소수이고, 가끔 그리고 시험을 칠 때만 한다고 하는 학생이 대부분이고, 둘 다 안하는 학생도 있었다.

④ 희망하는 수업 형태는 강의식과 토의식이 대부분이며, 학생들은 자발적 수업 형태 보다는 강의식 수업을 선호하고 있다.

⑤ 학습 자료는 시청각 자료에 가장 많은 흥미를 보였다.

3. 단원의 목표

1) 지적 목표

① 기본적인 경제 문제가 발생하는 원인을 이해하게 한다.

② 경제적 선택은 기회 비용에 따라 달라짐을 이해하게 한다.

③ 우리 사회에서는 개인의 자유로운 선택을 경제 활동의 기본 원칙으로 삼고 이것을 이해하게 한다.

④ 수요와 공급의 의미를 이해하게 한다.

⑤ 균형 가격이 결정되는 과정을 이해하게 한다.

⑥ 통화량과 물가의 관계를 이해하게 한다.

⑦ 급속한 경제 성장과정에서 발생한 우리 사회의 문제점들을 이애하게 한다.

⑧ 시장의 의미와 유형을 열거하도록 한다.

⑨ 화폐의 기능을 설명하도록 한다.

⑩ 국제 경제 협력 기구를 열거하도록 한다.

2) 기능적 목표

① 경제 문제는 기복적으로 선택의 문제라는 것을 설명할 수 있다.
② 경제 사회를 구성하는 경제 주체와 그들 사이의 상호 의존 관계를 설명할 수 있다.
③ 우리 경제가 해결해야 할 과제를 인지하고, 선진국 건설에 참여할 수 있도록 한다.
④ 오늘날의 국제 경제가 과거와는 다른 특징들을 설명하게 한다.
⑤ 우리 사회가 해결해야 할 경제적 과제들을 경제 현상과 관련지어 설명하도록 한다.

3) 정의적 목표

① 자신이 경제 사회를 구성하는 한 주체임을 자각하고, 합리적인 경제 생활을 할 수 있는 책임있는 태도를 기른다.
② 국제 교역이 더욱 확대될 미래 사회에 능동적으로 대처할 수 있는 자세를 기른다.
③ 일상 생활 속에서 환경 오염을 방지하려는 적극적인 자세를 가지도록 한다.

4. 지도관

① 초등 학교 3학년의 '생산과 유통의 모습', 4학년의 '가정의 살림살이', 5학년의 '우리 나라 산업의 변화와 전망', '생산과 소비', '금융기관의 구실' 등이 본 단원의 '2. 현대경제의 이해'를 학습하는 데 선행 학습으로서 관련을 맺는다.
② 중 2의 '국제 경제 질서의 이해' 단원이 '세계 경제의 이해' 와 관련한 기초 내용이 된다.
③ 본 단원의 학습은 고등 학교 공통 사회의 '경제 생활의 문제와 해결' 학습에 대한 적응능력을 기르기 위한 기초 내용으로서의 의미를 지니며, 아울러 경제 과목에 대한 심화 학습의 기본 내용으로서 연계된다.

5. 학습지도 계획

단원	주 제	학습의 주요 내용	차시	학습형태	학습자료
Ⅲ. 경제와 시민생활	단원개관	· 경제와 시민생활 · 단원 학습 목표 제시			
	1. 인간과 경제활동 (1) 우리가 사는 경제	· 희소성과 선택 · 선택과 기회비용 · 경제적 자유와 가치	1/6	강의법 문답법	TP자료
	(2) 경제주체의 경제활동	· 우리 경제의 구성요소 · 시민의 경제적 역할	2/6	강의법	
	2. 현대경제의 이해 (1) 시장의 경제활동	· 시장의 수요와 공급 · 시장과 화폐 · 시장가격의 형성	3/6	강의법 문답법	TP자료
	(1) 시장의 경제활동 (2) 정부와 금융	· 소비자와 생산자의 행동 · 정부와 재정 · 은행과 통화	4/6	강의법 문답법	TP자료
	(2) 정부와 금융 (3) 세계경제의 이해	· 정부와 시민의 경제적 행도 · 국제교역 · 국제교류와 경제교류 · 오늘날의 국제경제	5/6	강의법 문답법	TP자료
	3. 우리나라의 경제와 국민생활 (1) 우리나라 경제의 과제 (2) 경제발전과 삶의 질	· 경제안정 · 국민 경쟁력 강화 · 환경보전 · 남북교류	6/6	강의법 문답법	

<table>
<tr><td colspan="8">본 시 학 습 지 도 안</td></tr>
<tr><td>단원</td><td>Ⅲ. 경제와 시민생활</td><td>본시단원</td><td colspan="2">2. 현대경제의 이해
(1) 시장의 경제활동</td><td colspan="2">지도교생</td><td>도민애</td></tr>
<tr><td>대상</td><td>3학년 9반</td><td>일시</td><td colspan="2">년 월 일</td><td colspan="2">장 소</td><td>3-9반 교실</td></tr>
<tr><td rowspan="2">준비물</td><td>교 사</td><td colspan="3">교과서, 학습 지도안, 각종 TP자료</td><td colspan="2" rowspan="2">본시의 위치</td><td rowspan="2">3/6차시</td></tr>
<tr><td>학 생</td><td colspan="3">교과서, 노트</td></tr>
<tr><td>학습목표</td><td colspan="7">1. 수요와 공급의 뜻을 설명할 수 있다.
2. 시장의 의미와 유형을 파악할 수 있다.
3. 화폐의 기증을 설명할 수 있다.
4. 균형가격이 결정되는 과정을 추론할 수 있다.</td></tr>
<tr><td rowspan="2">구분
단계</td><td rowspan="2">학습내용</td><td colspan="2">학 습 활 동</td><td rowspan="2">시간</td><td rowspan="2">학습자료</td><td colspan="2" rowspan="2">도달점 및 유의점</td></tr>
<tr><td>교 사</td><td>학 생</td></tr>
<tr><td>도
입</td><td>· 전시 학습확인

· 본시 학습제시

· 학습 목표제시</td><td>· 경제문제는 왜 발생 한다고 했습니까? (전체질의)
· 이러한 자원의 희소성 때문에 일정하게 주어진 자원중에서 한 가지를 포기할 때 희생된 것의 가치를 무엇이라고 합니까? (개별질의)
· 네 그렇습니다.
· 그럼 오늘은 이런 경제 원칙을 바탕으로 시장의 경제활동에 대해 알아보도록 하겠습니다.</td><td>· 자원의 희소성 (전체응답)
· 기회비용 (개별응답)
· 학습 할 범위를 안다.
· 학습목표를 안다.</td><td>5분</td><td>문답식</td><td colspan="2">· 전시학습을 상기하고 본시학습의 방향과 주제를 찾는다.
· 학습목표 인식</td></tr>
<tr><td>전
개</td><td>2. 현대 경제의 이해
(1)시장의 경제활동
① 시장의 수요와 공급</td><td>· 시장의 수요와 공급을 설명한다.
수요: 어떤 물건을 일정한 가격으로 사고자 하는 것
공급: 어떤 물건을 일정한 가격으로 팔고자하는 것
· 여기서 물건을 살려는 수요자와 팔려는 공급자는 자유로운 경제활동에 의해 시장에서 거래가 이루어지게 됩니다.
그럼 시장에는 어떤, 어떤 시장이 있죠?(전체질의)</td><td>· 교사의 설명을 들으면서 이해한다.
· 시장의 경제활동을 이해한다.
· 칠성시장, 번개시장... 아는대로 대답한다.</td><td>10분</td><td>문답식</td><td colspan="2">· 시장의 수요와 공급을 안다.
· 시장의 종류를 안다.</td></tr>
</table>

구분 단계	학습 내용	학습활동 교사	학습활동 학생	시간	학습 자료	도달점 및 유의사항
전개	· 시장의 종류	· 네, 여러분들이 말한 시장은 시설 을 갖추고 재화를 거래하는 시장으로 눈에 보이는 시장이라고 합니다. 우리들이 일반적으로 말하는 시장들은 여기에 속합니다.	· 눈에 보이는 시장과 눈에 보이지 않는 시장의 개념에 대해 이해한다.	10분	문답식	· 눈에 보이는 시장의 개념을 안다.
		· 그럼, 물건을 사고 파는 거래가 눈앞에서 이루어지지 않는 시장에는 어떤 것이 있을까요? (전체질의)	· 증권거래소, 사원채용박람회 (전체응답)			· 눈에 보이지 않는 시장의 개념을 안다.
		· 네, 그렇습니다. 이러한 시장을 눈에 보이지 않는 시장이라고 합니다.				
	② 시장과 화폐 · 화폐 발생의 원인	· 그러면 이러한 시장에서 필요한 것을 서로 물물교환 할 때 서로 가치가 다르거나 원하는 것이 아닌 경우에는 거래가 이루어지기 어렵겠죠? 이런 불편과 어려움을 편리하게 할 수 있는 다른 수단이 화폐입니다.				· 화폐의 발생원인에 대해 안다.
	· 화폐의 기능	· 그럼, 화폐는 어떠한 기능이 있습니까? (개별질의)	· 교환매개, 가치저장, 계산의 단위..... - 아는대로 대답한다. (개별응답)		강의식	· 화폐의 기능에 대해 안다.
		· 네, 화폐는 그 가치가 일정하므로 교환의 매개수단과 재화나 서비스의 가치를 표시해 계산합니다. 그리고 부피가 크거나 훼손 될 우려가 있는 물건을 대신해 화폐로 가지고 있다가 필요할때 물건으로 바꾸는 가치저장의 수단을 가집니다.	· 화폐의 기능을 이해한다. · 시장의 가격형성을 이해한다.			
	③ 시장 가격의 형성 · 수요의 개념	· 그럼, 지금부터 시장가격이 어떻게 형성되는지 알아봅시다. · 수요가 무엇이라고 했습니까? (개별질의)	· 어떤 물건을 일정한 가격으로 사고자 하는 것 (개별응답)			· 시장가격의 형성에 대해 안다.

단계 구분	학습내용	학습활동 교사	학습활동 학생	시간	학습 자료	도달점 및 유의사항
	· 수요 법칙	· 그럼, 수요량과 가격은 어떤 관계를 가지는지 구체적으로 알아봅시다. (TP자료제시)	· 수요량과 가격의 관계를 이해한다.		TP자료	
		· 일반적으로 가격이 상승하면 수요량은 감소하고 가격이 하락하면 수요량은 증가하는데 이러한 현상을 수요법칙이라고 하고 이러한 관계를 그래프로 나타낸 것을 수요곡선이라고 합니다.	· 수요법칙을 이해한다.			· 수요 법칙을 안다.
전		· 공급은 무엇이라고 했습니까? (개별질의)	· 어떤 물건을 일정한 가격으로 팔고자하는 것 (개별응답)			· 수요 곡선을 안다.
	· 공급의 개념	· 그럼, 공급과 가격은 구체적으로 어떻게 결정되는지 구체적으로 알아봅시다. (TP자료제시)			TP자료	
	· 공급 법칙	· 공급은 가격이 상승하면 증가하고 가격이 하락하면 감소하는데 이러한 현상을 공급법칙이라 하고 이것을 그래프로 나타낸 것을 공급곡선이라고 합니다.	· 공급법칙을 이해한다.	15분		· 공급 법칙을 안다. · 공급 곡선을 안다.
		· 즉 가격이 수요량과 공급량을 변화시킨다는 것을 알 수 있습니다. 그럼, 시장의 가격은 어떻게 결정되는지 알아봅시다. (TP자료제시)	· 시장가격의 형성을 이해한다.		PT자료	· 초과 공급을 안다.
개	· 초과 공급	· 가격이 800원이면 공급량이 수요량보다 많은 초과 공급 상태가 되어 가격은 어떻게 되겠습니까? (전체질의)	· 하락 (전체응답)			· 초과 수요를 안다.
	· 초과 수요	· 가격이 500원이면 수요량이 공급량보다 많은 초과수요상태가 되면 가격은 어떻게 되겠습니까? (전체질의)	· 상승 (전체응답)			

<table>
<tr><th rowspan="2">구분
단계</th><th rowspan="2">학습내용</th><th colspan="2">교 사 활 동</th><th rowspan="2">시
간</th><th rowspan="2">학
습
자
료</th><th rowspan="2">도달점 및
유의사항</th></tr>
<tr><th>교 사</th><th>학 생</th></tr>
<tr><td></td><td>· 균형
가격</td><td>· 그러면 600원 일 때를 봅시다.
수요량과 공급량이 일치되어 이 선에서 시장가격이 형성됩니다. 이를 균형가격이라고 하고 공급량과 수요량이 같을 때의 수량을 균형량 이라고 합니다.</td><td>· 균형가격을 이해한다.</td><td></td><td></td><td>· 시장가격이 어떻게 형성되는지 안다.
· 균형가격과 균형량을 안다.</td></tr>
<tr><td>정
리</td><td>· 본시
학습
내용
정리</td><td>· TP자료를 통해 내용정리
· TP자료를 통해 문제를 제시한다.
· 다음 시간에는 소비자와 생산자의 행동과 정부의 금융에 대해 공부할 것이니 교과서p 73~p76을 읽어오세요.</td><td>· 설명을 들으며 전체적인 내용을 파악한다.
· 형성평가를 풀 수 있다.
· 차시학습내용을 안다.</td><td>5분</td><td>T
P
자
료</td><td>· 중요한 부분을 알고 이해한다.
· 차시단원을 확인한다.</td></tr>
<tr><td>평
가
계
획</td><td colspan="6">1. 수요와 공급의 뜻을 설명할 수 있는가?
2. 시장의 의미와 유형을 파악할 수 있는가?
3. 화폐의 기능을 설명할 수 있는가?
4. 균형가격이 결정되는 과정을 추론할 수 있는가?</td></tr>
</table>

4. 수학과 학습지도안

단원	7. 산포도와 표준편차	대상	1학년	기간	년 월 일

1. 단원 설정의 이유

현대 사회와 같이 다양한 정보 속에서 살고 있는 우리는 판단이나 결정을 내려야 할 경우가 많이 있다. 이와 같이 판단이나 결정을 간단히 의사 결정이라고 하는데, 합리적인 의사결정이란 감정이나 고집 또는 직관등에 의한 것이 아니고, 과거와 현재의 가능한 모든 정보를 바탕으로 미래를 예측하고, 이를 토대로 객관적이고 보편 타당한 의사 결정을 말한다.

통계는 과거의 수량적 자료로부터 어떤 규칙성을 발견하여 미래를 예측하게 함으로써 합리적인 의살 결정을 내릴 수 있게 한다.

특히 오늘날의 정보화, 산업화 시대에서는 정보가 어떻게 처리되며, 어떻게 유용한 지식으로 전환되는가에 대한 이해가 필요하다. 따라서 이와 같은 요구를 충족시켜 주는 통계의 응용은 더욱 절실히 요구되고, 학교 수학으로서의 적절한 통계 교육이 필요하게 된다.

2. 단원의 목표

① 자료의 대푯값의 뜻을 말할 수 있다.
② 도수분포표로 주어진 자료의 평균을 구할 수 있다.
③ 자료가 흩어져 있는 정도를 나타낸 산포도의 뜻을 알 수 있다.
④ 편차의 뜻을 알고 이를 구할 수 있다.
⑤ 분산과 표준편차의 뜻을 알고 이를 구할 수 있다.
⑥ 도수분포표에서 분산과 표준편차를 구할 수 있다.

3. 단원의 위계도

학습한 내용	이 단원의 내용	학습할 내용
7-나 · 도수분포표에서의 평균 9-나 · 상관도와 상관표 · 상관관계	· 대푯값의 뜻 · 산포도 · 분산 · 표준편차	수학 I · 확률분포 · 통계적 추정

4. 학생 실태조사

1) 수학교과에 대한 흥미는?

구 분	아주 재미있다	재미있다	보통이다	재미없다	합 계
인원수	1	6	21	8	36

2) 수학교과의 중요도는?

구 분	매우 중요하다	중요하다	보통이다	중요하지 않다	합 계
인원수	7	19	9	1	36

3) 수학에 대한 자신감은?

구 분	매우 자신있다	자신있다	보통이다	자신없다	합 계
인원수	1	4	18	13	36

4) 하루에 스스로 수학을 공부하는 평균 시간은?

구 분	1시간 이상	30분이상 1시간미만	30분 미만	전혀하지 않는다	합 계
인원수	1	12	12	11	36

5) 타교과 공부시간에 비학에 수학 공부시간은?

구 분	많은 편이다	보통 정도이다	작은편이다	합 계
인원수	8	16	12	36

6) 수학시간 학습내용의 이해정도는?

구 분	모두 이해한다	거의 이해한다	반정도 이해한다	거의 이해하지 못한다	합 계
인원수	1	10	20	5	36

7) 수업 시간 중 이해되지 않는 문제는?

구 분	선생님께 질문한다	친구에게 물어본다	혼자서 해결될 때까지 생각한다	포기하고 그냥 넘어간다	합 계
인원수	2	24	6	4	36

8) 분석

① 대부분 학생들이 타 교과에 비해 수학을 중요하게 생각하고 있으나 수학교과에 대한 흥미와 자신감이 부족한 편이다.

② 하루 수학을 공부하는 시간은 1시간 미만이 많고, 전혀 하지 않는 학생도 11명이나 되어 전반적으로 수학 공부에 관심이 부족함을 알 수 있다.

③ 수업 중 모르는 문제 해결은 주로 친구들에 의존하고 있으며 이는 모둠별 수업이 필요하다는 것을 보여주고 있으며, 학업 성취도에 도달하지 못한 학생들의 지도에 노력이 필요하다.

5. 지도관

위와 같은 학생의 실태나 교재관에 비추어 다음과 같은 점에 유의하여 지도한다.

① 교과서에 제시된 학습내용의 재구성 및 수준별 과제 제시를 통해 많은 학생을 충족시킬 수 있도록 한다.

② 학생활동 중심이 되는 수업이 되도록 하여 발표력을 신장하게하고, 다양하고 적절한 학습매체를 사용하여 흥미를 유발시킨다.

③ 일상 생활에서 일어나는 현상을 많이 활용하여 탐구력 및 문제해결력을 길러 나갈 수 있도록 지도하다.

④ 서술형의 평가를 통해 결과 위주형보다 문제 해결과정을 포함하는 종합적인 평가가 이루어지도록 한다.

6. 단원 지도 계획

중단원	소단원	차시	학습 목표	지도 내용	지도상의 유의점
7-1 산포도	1. 대푯값의 뜻	1	· 자료의 대푯값에 대해서 말할 수 있다. · 도수분포표에서 평균을 구할 수 있다.	· 계급값 · 대푯값 · 평 균	· 가평균을 이용하여 평균을 구하는 것은 계산을 간단히 하기위함.
	2. 산포도	2	· 산포도의 뜻을 알 수 있다 · 편차의 뜻을 알고 이를 구할 수 있다.	· 산포도 · 편 차	· 산포도의 필요성을 인식하게 함
7-2 표준편차	1. 분산과 표준편차	3	· 분산과 표준편차의 뜻을 알고 이를 구할 수 있다.	· 분산 · 표준편차	· 분산과 표준편차는 자료의 평균을 중심으로 흩어진 정도임을 인지
	2. 도수분포표로 주어진 자료의 표준편차 구하기	4	· 도수분포표에서 분산과 표준편차를 구할 수 있다.	· 도수분포표에서 분산, 표준편차	· 분산, 표준편차를 구할 때 필요에 따라 계산기 사용 가능
심화과정 단원평가		5	· 일상생활에서 볼 수 있는 자료를 통해 표준편차를 구하고, 이를 해석 할 수 있다. · 단원문제를 풀 수 있다.	· 심화발전 · 종합복습	· 보충학습이 필요한 학생 개인지도
다시 알아보기 좀 더 알아보기		6	· 일상생활에서 볼 수 있는 자료에서 평균과 표준편차를 구할 수 있다.	· 학습내용 총정리 및 확인	· 발전학습이 필요한 학생에게 과제부여

단원	7-1. 산포도 1. 대푯값의 뜻	학반	1학년 2반 (36명)	일시	년 월 일 6교시	지도교사	신순례
학습목표	1. 자료의 대푯값에 대해서 말할 수 있다. 2. 도수분포표에서 평균을 구할 수 있다.						
사고기능목표	자료에서 대푯값의 의미를 알고 실생활에 활용할 수 있다.						
학습자료	교사				학생		
	교과서, 지도안, 컴퓨터 멀티비젼, OHP				교과서, 학습장, 자, 유성싸인펜		

단계	학습내용	교수 - 학습활동		시간	유의점 및 학습자료
		교사	학생		
도입	· 배운 내용 확인 · 계급값 · 학습목표 제시	· 출석 점검 및 인사 · 지난번 모의고사를 치른 후, 반별 등수는 무엇으로 내었겠습니까? · 이번 시간에는 대푯값에 대해서 공부합시다. · 중학교에서 배운 내용을 상기해 봅시다. · 도수분포표에서 계급값이란? · 멀티비젼을 통하여 설명 · 학습목표를 설명	· 인사 · 평균 · 화면을 통하여 질문에 대답 · 학습목표를 같이 읽으면서 배워야할 내용을 인지한다.	5분	멀티비젼 (ppt1) 멀티비젼 (ppt2)
전개	· 생활에서 알아보기 118, 141, 124, ..., 의 25개 자료제시	〔관찰1〕 자료를 작은 값부터 순서대로 적었을 때 가운데 값은? 〔관찰2〕 도수분포표를 만들었을 때 도수가 가장 큰 계급의 계급값은? 〔관찰3〕 도수분포표에서 평균은? $(평균)=\dfrac{\{(계급값)\times(도수)\}의합}{(도수)의합}$ $=\dfrac{3270}{25}=130.8$ 임을 파워포인트를 통해 설명 참고로 〔관찰1〕 에서 구한 값은 중앙값, 〔관찰2〕 의 값은 최빈값 이라고 함	129 130 · 화면을 보며 도수분포표에서 평균을 구하는 것을 이해한다.	5분	멀티비젼 (ppt3~6)

단계	학습내용	교수 - 학습활동		시간	유의점 및 학습자료
		교사	학생		
전		〔관찰 1, 2, 3〕에서 같이 자료 전체의 특징을 대표적으로 나타내는 수를 그 자료의 대푯값이라 하고 대푯값 중에서 가장 많이 쓰이는 것이 평균이다.	· 화면을 보며 설명을 듣는다.		멀티비젼 (ppt7)
		· 평균을 구하는데 계산이 복잡하다. 좋은 방법이 없을까?	· 간단한 방법을 생각한다.		
		· 엑셀 프로그램으로 평균 구하는 것을 보여준다.	· 화면을 보며 설명을 듣는다.		멀티비젼
		· 도수가 가장 큰 계급의 계급값을 기준으로 정하여 평균을 구하여 보자			
		① 〔관찰 3〕의 도수분포표에서 {(계급값)−130}×(도수) 를 계산한다. ② {(계급값)−130}×(도수) 에 대한 평균을 구한다.	· 화면을 보며 도수분포표에서 가평균을 이용하여 평균 구하는 것을 이해한다.	20분	멀티비젼 (ppt8,9)
		③ 130에 ②에서 구한 0.8을 더하여 평균을 구한다. · 평균=130.8 임을 파워포인트를 통해 설명			가평균을 다른값으로 정해도 평균은 같음
개		· 방법이 달라도 평균이 같음을 확인시킨다.			
		· 미리 받은 문제지의 문제를 풀어보자.	· 각자 문제지에 풀고 모르는 것은 조원에게 물어본다.		문제지
		· 2명의 학생을 지명하여 TP에 한 후 발표를 하도록 한다.	· 지명된 학생은 앞에 나와 발표한다.		OHP

단계	학습내용	교수 - 학습활동		시간	유의점 및 학습자료
		교사	학생		
전개	· 재미있는 만화를 통해 도수분포표 만들기 및 평균의 의미알기	· TP를 통해 만화문제를 설명할 후 조별로 나누어준 TP에 만화 내용을 완성하고 도수분포표를 만들게 한다. · 2개조를 지명하여 발표시킨다. · 평균을 구함에 있어 대안 및 분포상태를 알 필요가 있음을 설명	· 주의깊게 본다. · 조별로 토의한 후 만화를 완성한다. · 지명된 조의 조원이 나와서 발표한다.	15분	OHP
정리	· 배운 내용 정리 · 형성평가 · 차시예고	· 오늘 배운 대푯값과 도수분포표에서 평균을 구하는 방법을 정리한다. · 형성평가 문제지를 풀도록 한다. · 정답을 제시하고 통과율을 확인한다. · 다음시간에는 산포도에 대해서 공부하기로 합니다.	· 철판을 보며 오늘 배운 내용을 이해한다. · 형성평가 문제를 푼다. · 풀이를 한 후 정답과 비교한다. · 다음 시간에 배울 내용을 인지한다.	5분	형성평가지

판 서 계 획	
	1. 대푯값의 뜻
(학습목표) · 자료의 대푯값에 대해서 말할 수 있다. · 도수분포표에서 평균을 구할 수 있다.	· 대푯값 : 자료 전체의 특징을 대표적으로 나타내는 수 예) 평균 f· 도수분포표에서 평균 = $\dfrac{\{(\text{계급값})\times(\text{도수})\}\text{의 합}}{(\text{도수})\text{의 합}}$

〔자료1〕 **문 제 지** (7-1. 산포도와 표준편차 1. 대푯값의 뜻)

1학년 반 번 이름 :

문제 1) 아래 표는 L투수의 투구 속도를 25회 조사하여 만든 도수분포표이다. 물음에 답하여라

계 급(km/시)	도 수
120 이상 ~ 124 미만	1
124 이상 ~ 128 미만	5
128 이상 ~ 132 미만	10
132 이상 ~ 136 미만	6
136 이상 ~ 140 미만	3
합 계	25

(1) 도수가 가장 큰 계급의 계급값을 말하여라.

(2) L 선수의 투구 속도의 평균을 구하여라.

문제 2) 다음은 40명의 학생의 수학성적을 도수분포표로 만든 것이다. 평균을 구하여라.

계 급(점)	도 수
50이상 ~ 60미만	1
60이상 ~ 70미만	6
70이상 ~ 80미만	10
80이상 ~ 90미만	14
90미만 ~ 100미만	9
합 계	40

〔자료 2〕 **형 성 평 가 지**

1학년 반 번 이름 :

1. 자료 전체의 특징을 한 번에 알아내기 위해서는 하나의 수로 나타낼 필요가 있는데, 이 값을 무엇이라 하는가? (   )

2. 도수분포표에서 평균을 구하는 것이다. ㅁ에 알맞은 것은?

계급값	도수	계급값 × 도수
X_1	f_1	x_1f_1
X_2	f_2	x_2f_2
⋮	⋮	⋮
X_n	f_n	x_nf_n
합 계	N	$x_1f_1+x_2f_2+...+x_nf_n$

$$\text{평균} = \frac{x_1 f_1 + x_2 f_2 + \cdots + x_n f_n}{\square}$$

3. 다음은 우리반 학생 36명의 통학시간에 대한 도수분포표이다. 평균을 구하여라.

계 급(분)	도 수
5 이상 ~ 15 미만	7
15 이상 ~ 25 미만	12
25 이상 ~ 35 미만	10
35 이상 ~ 45 미만	6
45 이상 ~55 미만	1
합 계	36

5. 과학과 학습지도안

1. 단원의 목표

① 대기권을 높이에 따른 기온 분포를 기준으로 대류권, 성층권, 중간권, 열권으로 나눌 수 있다.
② 대기권에서 각 층의 특징을 설명할 수 있다.
③ 지진파의 속도 분포 곡선을 이용하여 지구 내부의 층상 구조를 설명할 수 있다.

2. 단원의 구성

대기권의 구조	→	1-1. 높은 산이 평지보다 더 추운 이유는	→	실험 높이에 따른 대기의 온도 탐구1 비행기의 항로 탐구2 열기구 만들기 (선택 활동)
↕				
지진과 지진파	→	1-2. 지구 내부를 엿볼 수 있는 창-지진파	→	탐구3 지진파의 전달
↕				
지구 내부의 구조	→	1-3. 지구 내부는 어떻게 생겼을까	→	탐구4 지구의 내부 구조
		보충활동 외계인의 지구 탐사기 심화활동 지구 구조 모형 만들기 자기진단문제		

3. 단원 지도 계획

단 원	시간배당		학 습 활 동	교과서 쪽수
	시간	차시		
1. 지구의 구조	5	1, 2	1-1. 높은 산이 평지보다 더 추운 이유는	10~13
			실험 높이에 따른 대기의 온도	
			탐구1 비행기의 항로	
			탐구2 열기구 만들기(선택 활동)	
		3	1-2. 지구 내부를 엿볼 수 있는 창 - 지진파	14~15
			탐구3 지진파의 전달	
		4, 5	1-3. 지구 내부는 어떻게 생겼을까	16~19
			탐구4 지구의 내부 구조	
	2	6, 7	보충활동 외계인의 지구 탐사기	20
			심화활동 지구 구조 모형 만들기	21
			자기진단문제	22

4. 지도상의 유의점

① 지구의 대기권과 지구 내부를 이루는 물질 및 그 물리적 성질은 수평 방향보다 수직 방향에서 크게 변한다는 점을 강조하여 지도한다.

② 지구의 구조를 탐사하는 관측 기구 및 원리에 대하여 충분히 소개한다.

③ 지구의 구조를 탐구한 역사적 과정 및 과학자에 대하여 인식시킨다.

④ 대기권의 구조는 직접 관측하여 알 수 있지만, 지구 내부의 구조는 간접적인 방법으로 추정한 것임을 지도한다.

⑤ 지구 중심에는 가장 무거운 물질이 있으며, 지구 중심에서 지표 및 대기권으로 갈수록 가벼운 물질로 구성되어 있음을 강조하여 지도한다.

5. 지도 과정

[1차시] 1-1 높은 산이 평지보다 더 추운 이유는

과 정	학 생 활 동	교 사 활 동	준비물 및 유의점
도입 (5분)	· 여름철인데도 산의 정상 부근에 눈이 녹지 않는 이유를 발표한다. · 본시의 학습 목표를 확인한다. ① 대기권은 기온 분포에 따라 4개의 층으로 구분할 수 있다. ② 대기권의 각 구간의 특징을 설명할 수 있다.	· 교과서의 그림을 보면서 질문한 후 설명한다. · 지표면을 둘러싸고 있는 공기의 층이 대기권 임을 설명한다. · 학습 목표를 제시한다.	
전개 (30분)	· 인공 위성에서 촬영한 지구의 모습을 보고 대기권과 높이에 따른 공기의 분포를 발표한다. → 높이 올라갈수록 중력이 약하게 작용하므로 공기가 점차 희박해진다. · 높은 곳의 온도가 지표 부근과 어떻게 다른지 알 수 있는 경험을 발표한다. · 높이에 따른 대기의 온도 분포 그래프를 이해한다. → 높이 올라갈수록 기온이 높아지는 층과 낮아지는 층을 구분하고, 높이에 따른 기온 분포에 따라 4개의 구간으로 구분해 본다. · 각 구간의 특징을 발표한다. · 탐구 1 비행기의 항로 · 탐구 2 열기구 만들기	· 인공 위성에서 촬영한 사진을 보고 어떤 부분 이 대기권인지 지도한다. · 학생들의 경험을 질문하여 발표를 유도한다. · 교과서의 대기권의 특징을 정리하여 발표하도록 지도한다. · 탐구에 주어진 문제를 스스로 확인 정리하여 발표하도록 지도한다.	· 준비물 : 헤어 드라이어, 긴 비닐 봉투
정리 및 평가(10분)	· 스스로 확인하기의 답을 구한다. → 1. 대류권 → 2. 오존층, 자외선	· 내용 정리 및 평가	· 과제 : 스스로 알아보기
차시 예고		· 실험 - 높이에 따른 대기의 온도	

[2차시] 1-1 높은 산이 평지보다 더 추운 이유는

〈실험 : 높이에 따른 대기의 온도〉

과 정	학 생 활 동	교 사 활 동	준비물 및 유의점
도입 (5분)	· 전시 학습 내용 확인 - 대기권의 구조 · 높은 산에 올라가 본 경험을 토대로 지표면과 어떻게 다른지 발표한다. · 본시의 학습 목표를 확인한다. ① 구리판으로부터 멀어질수록 온도가 낮아지는 이유를 설명할 수 있다. ② 대류권에서 높이에 따른 기온 분포를 설명할 수 있다.	· 전시 학습 내용 복습 · 높은 곳과 지면에서 온도의 차이점을 질문하고 발표하도록 지도한다. · 실험을 통해 지면으로부터 멀어질수록 온도가 어떻게 변하는지 호기심을 유발시킨다. · 학습 목표를 제시한다.	· 실험실에서 수업함을 사전에 예고한다.
전개 (30분)	· 실험 준비물을 확인한다. · 실험 과정을 읽고 모둠별로 실험을 실시한다. → 실험시 유의 사항을 숙지하여 사고가 발생하지 않도록 주의한다. · 3분마다 온도를 측정하여 표에 기록한다. → 온도를 읽을 때는 눈을 온도계에 수평으로 맞추고, $\frac{1}{10}$ 단위까지 측정하도록 한다. · 기록된 두 온도계의 온도 변화를 거리를 X축, 온도 변화를 Y축으로 하여 그래프에 나타낸다. → 두 온도계의 거리에 따른 온도 변화 그래프를 그릴때 선의 색을 다르게 하여 그린다. · 다른 모둠의 실험 결과와 비교해 본다. · 실험 보고서의 해석하기를 서로 토의해 기록한다.	· 실험시 유의 사항을 숙지시킨다. · 온도계의 눈금을 읽는 방법을 지도한다. · 표에 기록된 것을 그래프로 그리는 방법을 설명한다. · 실험 결과 그래프를 서로 비교할 수 있도록 공간을 마련해 준다.	· 준비물 : 스탠드, 클램프, 온도계, 전등(200W), 검게 칠한 구리판, 실 · 두 온도계의 처음 온도를 같게 하기 위해 처음 3분 동안은 전등을 켜지 않은 채 그대로 놓아 둔다.
정리 및 평가(10분)	· 온도가 더 이상 변하지 않을 때 어느 온도계의 온도가 높은가? (온도계 A의 온도가 더 높다.) · 전등을 태양, 구리판을 지표면이라고 가정할 때, 지표면에서 높이 올라갈수록 온도는 어떻게 변하는가? (높이 올라갈수록 온도가 낮아진다.)	· 해석하기 정리 및 평가	
차시 예고		· 1-2. 지구 내부를 엿볼 수 있는 창 - 지진파	

〈실험. 높이에 따른 대기의 온도〉

<table>
<tr><td colspan="4">제 1학년 반 번</td><td colspan="4">년 월 일 요일</td></tr>
<tr><td>모둠</td><td></td><td>이름</td><td></td><td>기온</td><td>℃</td><td>날씨</td><td></td></tr>
<tr><td>실험목표</td><td colspan="7">·구리판으로부터 멀어질수록 온도가 낮아지는 이유를 설명할 수 있다.</td></tr>
<tr><td>준 비 물</td><td colspan="7">스탠드, 클램프, 온도계, 전등(200W), 검게 칠한 구리판, 실</td></tr>
<tr><td>실험과정</td><td colspan="7">① 오른쪽 그림과 같이 스탠드에 쇠막대를 연결하고 클램프로 검게 칠한 구리판을 고정시킨다.
② 구리판으로터 1cm, 2cm 거리에 온도계의 구부가 위치하도록 A, B 두 개의 온도계를 실로 매단다.
③ 구리판으로부터 10cm 떨어진 곳에 구리판을 수직으로 비추도록 전등을 놓는다.
④ 전등을 켠 후 A, B 두 개의 온도계의 온도가 더 이상 변하지 않을 때까지 3분 간격으로 온도를 측정하여 기록한다.
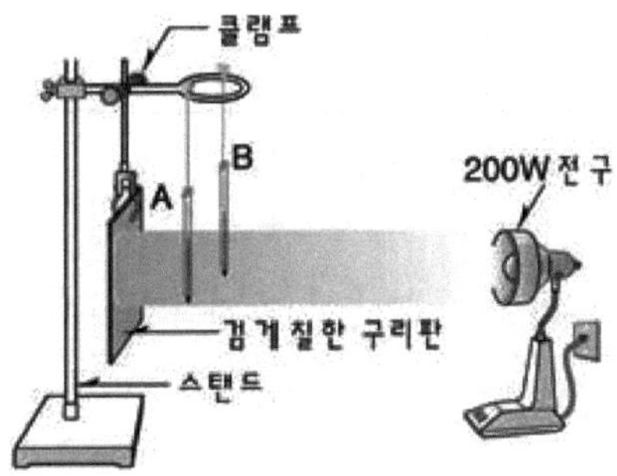

<주의하기>
· 실험 도중에 온도계가 흔들리지 않도록 주의한다.
· 전등과 A, B 두 개의 온도계가 일직선이 되지 않도록 온도계를 장치한다.</td></tr>
<tr><td>기록하기</td><td colspan="7">두 온도계의 거리에 따른 온도 분포를 기록하자.</td></tr>
<tr><td>해석하기</td><td colspan="7">1. 온도가 더 이상 변하지 않을 때 어느 온도계의 온도가 더 높은가? 또 그 까닭은 무엇인가?
2. 전등을 태양, 구리판을 지표면이라고 가정할 때, 지표면에서 높이 올라갈수록 온도가 어떻게 변할지 토의해 보자.
3. 지표면으로부터의 거리 이외에 대기의 온도에 영향을 줄 수 있는 요인에 대하여 조사해 보자.</td></tr>
</table>

6. 기술 · 가정과 학습지도안

<table>
<tr><td>일자</td><td>년 월 일</td><td>지도 대상</td><td colspan="3">1학년 반</td></tr>
<tr><td>단원</td><td>1.청소년의 특성</td><td>차시</td><td>1 / 6</td><td>지도 교사</td><td></td></tr>
<tr><td>본시 주제</td><td colspan="3">1 청소년기의 신체 발달
(1) 사춘기와 신체 변화 (2) 성장의 개인차</td><td>장소</td><td>교실</td></tr>
<tr><td>학습 목표</td><td colspan="5">· 청소년기에 나타나는 신체 발달의 내용을 이해할 수 있다.
· 청소년기의 신체 발달을 긍정적으로 받아들이고 원만하게 적응할 수 있다.</td></tr>
<tr><td rowspan="2">준비물</td><td colspan="2">교사</td><td colspan="3">학생</td></tr>
<tr><td colspan="2">교과서, 지도안, ppt 자료(탐구활동)</td><td colspan="3">교과서, 필기도구</td></tr>
</table>

<table>
<tr><td>단 계</td><td>학습 요소</td><td>교수 - 학습 과정</td><td>수업 형태</td><td>지도상의 유의점</td></tr>
<tr><td rowspan="2">도 입</td><td>학습 동기 유발</td><td>· 학습 활동지 Ⅰ-1을 완성하도록 하여 자신의 신체에서 일어나는 변화의 내용을 스스로 발견하도록 한다.</td><td>개별 학습</td><td>· 본시 학습에 흥미를 가지도록 한다.</td></tr>
<tr><td>학습 목표 제시</td><td>· 본시의 학습 목표를 학생들과 함께 읽도록 한다.</td><td>일제 학습</td><td>· 본시 학습의 주안점을 알게 한다.</td></tr>
<tr><td>전 개</td><td>1. 사춘기와 신체 변화

1) 일반적인 신체의 변화

2) 남녀의 2차 성징</td><td>· 학습 활동지 Ⅰ-1을 이용하여 자신이 경험한 신체 발달의 변화의 내용을 발표하게 한다.
· 발표한 내용 중에서 공통된 사항을 중심으로 사춘기의 신체 발달의 내용을 정리한다. 이 때 2차 성징과 개인차의 내용을 확인할 수 있도록 발표자를 선별한다.

· 사춘기의 일반적인 신체 변화에 대하여 설명한다.
① 성장 급등 경험
② 근육 발달→운동 능력 향상
③ 신체의 전체적인 성장 (비동시적 성장으로 일시적 불균형 상태 경험)
④ 얼굴 모습의 변화
⑤ 내부 기관의 성장

· 남녀의 2차 성징에 대하여 설명한다.
① 2차 성징: 사춘기 이후의 남녀에게 나타나는 신체상의 성적 특징
② 2차 성징의 내용
㉠ 남녀에게 나타나는 공통된 특징 : 생식기 주변과 겨드랑이에 털이 남, 여드름이 생김.</td><td>발표

일제 학습</td><td>· 다른 학생들과의 비교를 통하여 신체 발달의 자연스러움을 인식하도록 한다. 또한, 성별에 따라 조금씩 다른 변화가 일어나고 있으며,발달에는 개인차가 있음을 알게 한다.</td></tr>
</table>

단 계	학습 요소	교수-학습 과정	수업 형태	지도상의 유의점
전 개	3) 남녀의 2차 성징	㉡ 남성에게 나타나는 특징 : 수염이 남, 목소리가 굵어짐, 근육과 골격이 발달하고 어깨가 넓어짐, 사정 현상이 나타남. ㉢ 여성에게 나타나는 특징 : 피부가 부드러워짐, 유방이 커지고 골반이 넓어짐, 월경 현상이 나타남.	일제 학습	· 자신에게 일어나는 신체의 변화를 자연스럽고 긍정적인 태도로 받아들일 수 있도록 한다.
	2. 성장의 개인차	· 탐구 활동(교과서 p.11)을 풀어보고 발표하게 한다. · 탐구 활동 내용을 바탕으로 성장에는 개인차가 있음을 이해시킨다. ① 성장의 개인차란: 개인에 따라 성장의 시기와 속도가 다르게 나타나는 현상 ② 개인차 요인: 유전 인자, 영양 상태, 건강상태, 기후, 문화적 요인 등	탐구 학습 일제 학습	· 탐구 활동 그래프를 ppt자료로 제작하여 그래프의 결과를 모든 학생이 확인할 수 있게 한다.
정 리	형성 평가	· 학습한 내용을 질문을 통하여 확인시킨다. ① 성장 급등기란 무엇이며, 이것이 나타나는 시기는? ② 남녀의 2차 성징을 비교하여 설명해 보자. ③ 개인에 따라 성장의 시기와 속도가 다르게 나타나는 현상을 무엇이라고 하는가?	문답	본시 학습 내용을 확인한다.
	학습 내용 정리	· 사춘기에 나타나는 신체 변화와 2차 성징의 내용을 정리한다. · 성장에는 개인차가 있음을 확인한다.	일제 학습	
	차시 예고	· 다음 시간에는 청소년기의 지적 발달에 대해 학습하게 됨을 알리고, 예습해 오도록 한다.	일제 학습	차시 내용을 인식한다.

학습 활동지 Ⅰ－1

나의 신체는 어떻게 변화하고 있을까?

우리의 신체는 태어나서부터 지금까지 많은 변화를 거치며 성장하고 있다. 특히 사춘기에는 신체가 급격하게 성장하여 아동기와는 다른 모습으로 변하게 된다.

나의 신체는 어렸을 때에 비해 어떻게 달라졌는지 다음의 과제들을 통해서 알아보도록 하자.

1. 나의 어렸을 때 사진과 최근 사진을 붙여 보자.(가능하면 비교하기 쉽도록 전신 사진을 준비한다)

▲ 나의 (　　) 살 때 모습	▲ 나의 최근 모습

2. 위의 사진을 보면서 자신의 신체가 어떻게 달라졌는지 적어 보자.

① 신체의 전체적인 모습

② 신체에서 머리가 차지하는 비율

③ 얼굴 모습

3. 사진에 나타나지는 않았지만 어렸을 때와 비교하여 달라졌다고 생각되는 것들을 적어 보자.

① 목소리

② 생식기관

③ 신체적인 힘

④ 기타(몸에 새로 나기 시작한 털, 여드름의 발생 여부 등)

7. 체육과 학습지도안

단 원 명	Ⅰ. 육상운동 3.뜀뛰기 (멀리뛰기)
대상학년	1학년
지도학급	7~13반
전체수업시수	총 5 차시
본 시	1 차 시
지도교사	김 허 중

1. 단원목표

① 육상운동의 특성과 종류에 대하여 알 수 있다.

② 육상경기의 규칙을 알고 경기를 보고 이해할 수 있다.

③ 멀리뛰기의 과학적 원리에 대하여 깨닫고 자신의 기록을 향상시키기 위한 사고의 과정을 통해 나타난 결과를 이해한다.

④ 힘들고 어려운 연습과정에서도 이를 극복하는 의지력과 인내력을 기를 수 있다.

2. 단원 학습과제 분석

멀 리 뛰 기

도움닫기	발 구 름	공중동작	착 지
· 빠른 스피드 · 가속력 · 발구름 전까지 최고 스피드의 95~97%	· 강력하고 민첩한 발구름 · 수평 스피드를 도약의 형태로 전환	· 도약 각도 · 균형잡힌 공중동작	· 기록을 최대화 시키는 착지동작

3. 시간계획

차 시	수 업 내 용	학 습 자 료
1 차 시 (본시)	육상운동 중 멀리뛰기의 이해 "자신의 도움닫기 거리를 찾아라"	이동식 칠판, 멀리뛰기 도해, 줄자, 비
2 차 시	"발구름판이 깨질때까지"	이동식 칠판, 멀리뛰기 도해, 줄자, 비
3 차 시	"공중동작은 새가 되는 듯한 기분으로" 젖혀뛰기(Hang style), 히치 킥(Hich-kick) 1차 기록측정	이동식 칠판, 멀리뛰기 도해, 줄자, 비
4 차 시	"모방 또한 창조의 시작"	이동식 칠판, 멀리뛰기 도해, 줄자, 비
5 차 시	평가(자세평가, 기록평가)	이동식 칠판, 멀리뛰기 도해, 줄자, 비

4. 본시 학습목표

① 육상운동의 구성과 내용을 안다.

② 육상운동 중 멀리뛰기의 기본원리에 대하여 이해한다.

③ 자신이 최고속도에 도달하는 거리를 알아낸다.

5. 본시에 적용할 교수기술

본 절에서는 Mosston와 Ashworth(1981)이 학습지도 방법으로 지시학습에서부터 개인-교수학습에 이르기까지, 11가지 유형의 스펙트럼에서 본시에 적용할 학습지도 유형을 결정하도록 한다.

교 사 : 최대결정 학습자 : 최소결정								교 사 : 최소결정 학습자 : 최대결정		
지시학습	과제학습	상호학습	개인학습	포괄학습	유도발견학습	집중발견학습	확산산출학습	학습자프로그램학습	학습자주도학습	개인교수학습

6. 학습자료

이동식 칠판, 멀리뛰기 도해, 줄자

7. 지도상 유의점

① 본 운동에 들어가기 전에 충분한 준비운동으로 안전사고를 예방한다.
② 단계적으로 연습을 지도함으로써 정확한 동작에 도달할 수 있도록 지도한다.
③ 개인차를 고려하여 목표를 세워 달성할 수 있도록 한다.

8. 세부시간 사용계획

시간	과 제 내 용	학 습 자 활 동 및 교 사 활 동	창의성신장 학습모형단계
5분	출석확인 환자조치 준비운동	· 교사는 출석부와 학생의 인원수를 비교하여 출석상태를 확인한다. · 교사는 학생들 중 환자유무, 체육복 착용상태를 확인하고 조치한다. · 교사와 학생은 운동장을 2바퀴(400m)를 돈다. · 멀리뛰기 동작 중 도움닫기 동작을 위한 준비운동을 실시한다.	
5분 5분	육상운동 이해 멀리뛰기의 과학적 원리에 관한 질문/답 ★ 첫번째 자료의 발문기법 및 발문처리기법 참조	· 육상운동의 체계에 대한 설명 달리기 : 단거리, 중· 장거리, 장애물달리기, 이어달리기 뜀뛰기 : 멀리뛰기, 높이뛰기, 세단뛰기 던지기 : 포환, 원반, 창 등 · 멀리뛰기의 과학적 원리에 대하여 설명하고 멀리 뛸 수 있는 요인들에 대하여 질문과 답을 한다. 도움닫기 요인 : 빠른 스피드, 최고속도에 다다를 때까지의 거리 확인. 발 구 름 요인 : 발구름의 성공도, 발구름의 강도, 공중동작 요인 : 도약각도(높이), 공중에서의 동작(도해) 착 지 요인 : 착지시의 동작	

20분		· "자신의 도움닫기 거리를 찾아라"라는 과제를 제시한다. · 남· 여 학생을 구분하여 도움닫기 때 자신이 최고의 속도에 도달하는 거리를 알아내도록 한다. · 적절한 도움닫기 거리를 알아야만 발구름의 성공도를 높일 수 있고 과다한 체력소모를 방지할 수 있다. · 스스로의 문제해결력을 키워주기 위해 과다한 피드백을 제공하지 않는다.	문제인식 가설설정 및 검증
5분		· 자신이 최고속도에 도달하는 거리를 잘 확인한 학생, 스피드가 좋은 학생 등 몇몇을 시범을 보이도록 한다(타 학생의 동기유발)	해결한 수락 및 수정
5분	정리운동	· 체조대형으로 헤친 후 발목, 무릎, 고관절 등 도움닫기 때에 주로 사용한 관절에 대한 스트레칭을 실시하고 팔벌려뛰기로 운동을 마친다.	

8. 음악과 학습지도안

학년-학기	1 - 1	지도시기	3월
단 원	어머니의 마음	차 시	1/2
본시주제	어머니	소요시간	45분
본시 학습목표	바장조의 음계로 된 세도막 형식의 제재곡을 보고 부른다.		
수업방법 (기법, 형태, 통합구성)	일제학습, 조별협력학습		

단계	교수 학습 활동	시간	자료 및 지도상 유의점
도입	1. 전시 학습 복습 - 도라지 타령 부르기 2. 제재곡을 성악가의 연주로 감상한다.	5분	C.D 또는 카세트테잎
전개	1. 악곡 이해 ① 조성 - 바장조  계이름: 도 레 미 파 솔 라 시 도 음이름: 바 사 가 내림나 다 라 마 바 ② 박자 : $\frac{3}{4}$ (4분의 3박자). 4분음표를 1박으로 하여 한마디에 4분음표가 3개 들어있는 박자. ③ 주요리듬 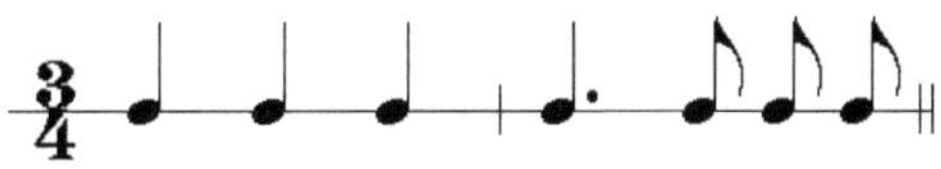 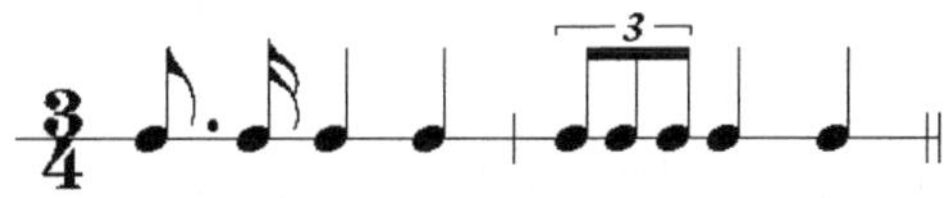 ④ 형식 : 세도막형식 A(a+b) B(c+d) C(e+f) 24마디 제재곡 <어머니의 마음>은 같거나 비슷한 가락이 중복되어 나오지 않은 노래이다. ⑤ 빠르기 : 보통빠르기 2. 리듬 분할 익히기 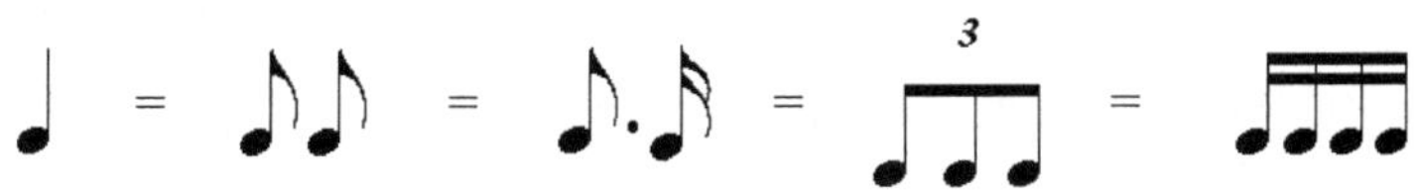 쿵 뛰 어 깡 총 기어서 달려가자	5분 15분	OHP · 일제학습 · 손벽치기 · 통절가곡 설명 · 리듬을 쉽게 익힐 수 있도록 리듬에 알맞은 단어를 활용한다.

단계	교수 학습 활동	시간	자료 및 지도상 유의점
전개	3. 잇단음표 민음표가 단위박이 되는 박자(2/4, 3/4, 4/4 등)에서 민음표를 홀수로 분할하거나, 점음표가 단위박이 되는 박자(6/8, 9/8 등)에서 점음표를 짝수로 분할하여 정상적인 리듬 흐름에 변화를 주는 것을 잇단음표라 한다. 분할되는 음표의 수에 따라 두잇단음표, 셋잇단음표, 넷잇단음표, 다섯잇단음표, 여섯잇단음표 등으로 부르고, 해당되는 숫자를 괄호로 묶어 음표의 위 또는 아래에 표시한다. 잇단음표의 표현은 리듬 읽기와 치기로 체득하여야 자연스럽게 연주할 수 있다. 3. 셋잇단음표 **셋잇단음표** 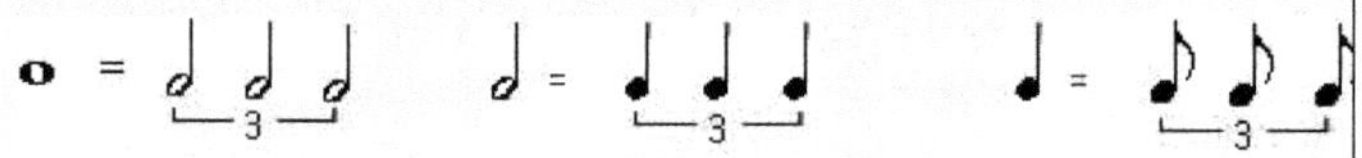 4. 리듬 익히기 ⇒ 주요 리듬을 손뼉치기로 연습한다 5. 계이름 부르기 6. 가사 붙여 부르기 ⇒ 가사의 뜻을 음미하여, 운율과 가락의 조화를 느끼면서 부른다. 7. 악상기호를 익혀 제재곡을 표현한다. poco rit(포코 리타르단도) 조금씩 점점느리게, a tempo(아 템포)본디 빠르기로 accent(〉 ;악센트) 그 음을 특히 세게 다-닮도록 : 셋잇단음표의 표현에 유의하여 부른다. 고--생하시-네 : '생'에서부터 점점 느리게 부른다. '네'에서부터 점점 세게 부른다. 하늘아래 그무엇이 : '하'부터 세게부르며, 느려졌던 빠르기를 원래의 빠르기로 부른다. '그무엇이'에는 악센트가 있으니 한 음마다 힘을 주어 부른다.	15분	· 가사의 내용과 관련된 마음속의 생각을 노래로 표현하는 능력을 이끌어 내도록 지도한다.
정리	바장조 음계와 조성의 관계를 이해하는가? 다양한 리듬을 구별할 수 있는가?	5분	

학년-학기	1 - 1	지도시기	3월
단 원	어머니의 마음	차 시	2/2
본시주제	어머니	소요시간	45분
본시 학습목표	3/4박자의 제재곡을 표현력있게 지휘한다.		
수업방법 (기법, 형태, 통합구성)	일제학습, 조별협력학습		

단계	교수 학습 활동	시간	자료 및 지도상 유의점
도입	1. 정확한 리듬과 음정으로 전시 학습된 곡을 부른다 2. 셋잇단음표 확인학습 3. 본시 학습목표 확인	5분	
전개	1. 지휘 익히기 교사의 시범지휘를 보고, 모둠별로 지휘연습을 한다. ① 박 - 심장의 고동처럼 규칙적인 간격을 두고 울리는 소리를 '박'이라고 한다. ② 박자 - 음의 흐름에서 셈여림이 일정한 간격으로 반복되는 것을 '박자'라고 한다. ③ 박자 젓기 - 오른손의 명확한 동작으로 시작과 끝, 악곡의 빠르기 등을 연주자에게 알려주어야 한다. * 여러 가지 지휘 형태 	15분	· 모둠별로 잘하는 학생이 서투른 학생을 가르치도록 한다
	2. 발표하기 ① 모둠별로 노래 반주에 맞추어 지휘한다. ② 모둠별로 발표 후 평가한다 ⇒ 친구들의 지휘 모습을 보고 자세를 교정해 준다. 서로의 모습을 보고 자신과 비교해 좋은 점을 배운다.	15분	· 수행평가로 활용

단계	교수 학습 활동	시간	자료 및 지도상 유의점
전개	모둠별로 돌아가면서 지휘에 맞추어 노래를 부른다. 지휘의 표현에 따라 노래를 표현한다. 3. 부분 2부의 알토 선율 익히기 알토 선율을 익혀 2부 합창으로 부른다. 4. 바장조의 화음 익히기 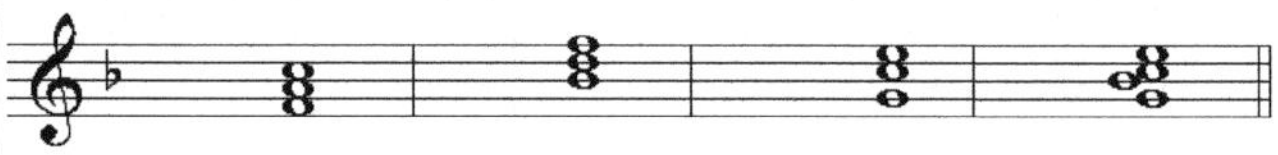 I IV V V7 5. 참고곡 부르기 ① 깰웨이의 피리사 작곡 : 아일랜드 민요 박자 : 4/4박자 조성 : 다장조 형식 : 한도막 형식 빠르기 : 보통 빠르기 (경쾌하게) ② 영광 대한 민국 작곡 : 스태프 박자 : 4/4 조성 : 다장조 형식 : 두도막 형식 빠르기 : 조금 빠르게(♩=100)	5분	· 모둠별 학습 · 마침꼴 합창을 해본다. · 듣고 부르기
정리	1. 음악의 흐름을 지휘로 잘 표현하는가? 2. 정확한 박자젓기를 하는가? 3. 학습 정리 1)  2) 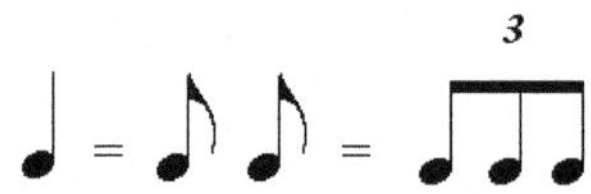 3) 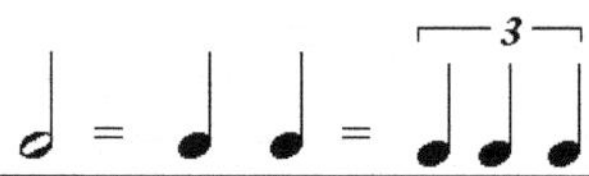	5분	

9. 미술과 학습지도안

영 역	느낌과 상상 나타내기	제 재	자화상 그리기	차 시	1/1
학습목표	1. 자기의 얼굴을 살펴보고 특징을 찾아낼 수 있다. 2. 재료의 특성을 이용하여 개성에 맞는 표현을 할 수 있다.				

단계	학습요소	교수 · 학습활동		자료및 유의점
		교 사	학 생	
준비 및 발상 (5)	· 학습 목표 제시 · 교과서 작품 감상 및 이해	· 인사 및 출결 확인 · 출석부에 체크한다. · 학습 목표를 제시하고 교과서를 읽으면서 학습 목표 인식하기. · 교과서의 자화상을 보고 표현 방법을 알게 한다.	· 인사 및 출결 확인에 응답한다. · 내용을 읽고 학습 목표를 인지한다. · 교과서를 보고 표현 방법을 안다. · 교과서의 자화상 그림을 감상한다.	· 교과서 · 참고화 · 노-트
구상 및 표현 (35)	· 자화상의 특징 및 이해 · 자화상의 표현	· 실물화상기를 통하여 준비된 자화상 그림을 제시. · 자화상을 감상한 느낌을 질문한다. · 각자의 그림을 보고 자신이 표현할 자화상을 구상하게 한다. · 각자가 준비한 준비물을 확인 점검. · 자신의 모습을 표현하는 다양한 방법을 제시한다. · 자신의 모습을 생각하여 특징적인 것을 표현할 수 있게한다. · 거울을 보고 자신의 인상적인 모습을 자유롭게 표현하게 지도한다. (사실적인 표현, 추상적인 표현)	· 실물화상기를 통하여 유명 작가의 자화상 그림을 감상한다. · 자화상 그림을 본 느낌을 자유롭게 말해본다. · 자신의 개성을 살릴 수 있는 자화상을 구상해 본다. · 준비된 준비물을 나열한다. · 준비물의 특징을 살릴 수 있는 표현이 되도록 한다. · 자신의 모습을 생각하여 특징이 나타나도록 표현한다. · 자신의 모습을 거울을 보고 자신의 개성을 다양하게 표현해 본다. · 사실적, 추상적인 표현	· 실물 화상기 · 유명작가의 자화상 · 스케치북, 연필, 펜 색연필 등

<table>
<tr><th rowspan="2">단계</th><th rowspan="2">학습요소</th><th colspan="2">교 수 · 학 습 활 동</th><th rowspan="2">자료및
유의점</th></tr>
<tr><th>교 사</th><th>학 생</th></tr>
<tr><td>구상
및
표현
(35)</td><td>· 자화상의
표현

· 재료의 특성
표현</td><td>· 사진을 보고 자신의 개성이 잘 나타나도록 표현한다.
· 재료의 특성을 잘 표현하고 있는지 순회하여 지도한다.
· 연필, 색연필, 싸인펜, 목탄, 펜, 볼펜, 파스텔 등의 표현이 특성에 맞고 자유롭게 한다.
· 각자의 얼굴의 표정과 특징이 잘 나타나도록 지도한다.
· 얼굴의 자세한 정밀 묘사적 표현보다는 특징과 개성이 잘 나타나도록 지도.
· 전체의 조화, 화면의 조화를 고려한 표현이 되게 한다.
· 세부 표현을 하고 작품을 마무리하게 한다.
· 작품을 마무리 정리하고 준비물들을 정리 정돈한다.
· 완성 작품 지도</td><td>· 자신의 모습을 거울이나 사진을 보고 개성적인 특징을 찾아 표현을 한다.
· 각자가 준비한 재료의 특성에 맞게 표현한다.
· 연필, 색연필, 싸인펜, 목탄, 볼펜, 파스텔 등의 표현이 재료의 특성에 맞게 표현될 수 있도록 한다.
· 각자의 얼굴의 표정과 특징을 개성 있게 잘 표현한다.
· 소묘 표현과 색채 표현이 잘 이루어지도록 개성이 있는 표현이 되도록 한다.
· 인물의 전체적인 조화와 화면의 조화가 잘 이루어지도록 한다.
· 세부 표현을 하고 작품을 마무리한다.
· 작품을 마무리하고 준비물을 정리 정돈한다.
· 완성 작품</td><td></td></tr>
<tr><td>감상
및
평가
(5)</td><td>· 작품 감상

· 차시 예고
· 과제 제시</td><td>· 완성된 작품을 전면에 걸게한다.
· 집게나 자석을 이용하여 작품을 게시한다.
· 다른 친구의 작품을 감상하고 자신의 작품과 다른 친구와의 장단점을 비교 감상하게 한다.
· 차시 예고
· 과제 제시</td><td>· 완성된 작품을 칠판이나 앞면에 게시한다.
· 작품을 집게나 자석을 이용하여 부착한다.
· 다른 작품을 보고 잘된 점과 못된 점을 비교 감상할 수 있다.
· 차시 예고 알기
· 과제물: 미완성품 완성해 오기</td><td>완성품
집게
자석</td></tr>
</table>

자료 활용 계획

-TP자료- 자 화 상

· 자화상
  자기가 자기의 모습을 그린 것으로 있는 그대로 정밀묘사 할 수도 있고 특징만을 잡아서 간단하게 나타낼 수도 있다
· 자소상
  자기의 모습을 소조로 제작 한 것(권진규의 자소상)
· 자각상
  자기의 모습을 조각한 것(김종영의 자각상)
· 대표적인 자화상
· 고흐의 자화상 : 붓의 터치가 잘 표현되어서 생동감이 잘 표현 됨
· 윤두서의 자화상 : 세밀한 표현이 정밀 묘사하듯이 표현되었음.
  조선시대의 대표적인 자화상으로 조선시대 인물화의 표본이 됨.

수준별 교수· 학습 지도 내용

· A 그룹 : 표현력이 좋은 학생 그룹 .... 소묘 표현을 하도록 유도한다.
· B 그룹 : 표현력이 다소 뒤진 학생 그룹 .... 여러 가지 색채 표현을 유도한다.
· C 그룹 : 만화적 표현을 좋아하는 학생 그룹 .... 추상적, 만화적 표현을 유도한다
· D 그룹 : 표현력이 몹시 뒤진 학생 그룹 .... 상상적 표현이 되도록 유도한다.

감상 및 평가

· 감 상
1. 자신의 얼굴의 특징과 표정이 잘 표현되었나 살펴본다.
2. 재료의 특성을 개성 있게 표현하였는지 자기의 작품과 비교해 본다.
3. 각각 자신의 개성이 잘 나타났는지 살펴본다

· 평 가

	A	B	C	D
1. 자신의 얼굴의 특징과 표정이 잘 표현되었나?	10	9	8	7
2. 재료의 특성을 살린 개성적인 표현이 되었나?	10	9	8	7
	(20)	(18)	(16)	(14)

□ 참고자료

자화상(自畵像)의 역사

자화상의 역사는 가장 오래 되었다. 이집트의 제5왕조 시대(B.C. 2560~2520)에 건립된 피라미드 내부의 릴리프에 몇 개의 유적이 남아 있고 신전이나 사원의 장식에 종사했던 미술가가 자기상을 그려 넣기도 하였다. 그러나 본격적으로 자화상을 많이 그리게 된 것은 개성의 자각이 강조되던 르네상스 시대부터였다. 고흐와 세잔, 렘브란트는 자화상을 많이 그렸으며 미켈란젤로와 벨라스케스는 군중 속에 자화상을 끼워 그렸다. 우리 나라는 조선시대 윤두서의 자화상이 남아있다. 특히, 렘브란트만큼 많은 자화상을 그린 화가도 드물 것이다. 그는 자화상에 의한 광선의 추구로 유명하다. 세잔도 많은 자화상을 그렸으나 그의 자화상은 기념적인 성격이나 내 자신의 상이라는 의식이 전혀 없이 거울에 비친 하나의 물질로서 비인정적으로 다루었다. 고흐도 많은 자화상을 그렸으며 고갱과의 다툼 끝에 자기 귀를 자르는 소동을 벌인 후에 그린 “귀 잘린 자화상”은 많은 화제를 일으킨 작품이다. 에스파냐의 궁정 화가 벨라스케스는 왕의 가족을 그린 “왕녀와 시녀들”의 화면 왼쪽에 붓을 들고 서있는 자화상을 그렸다.

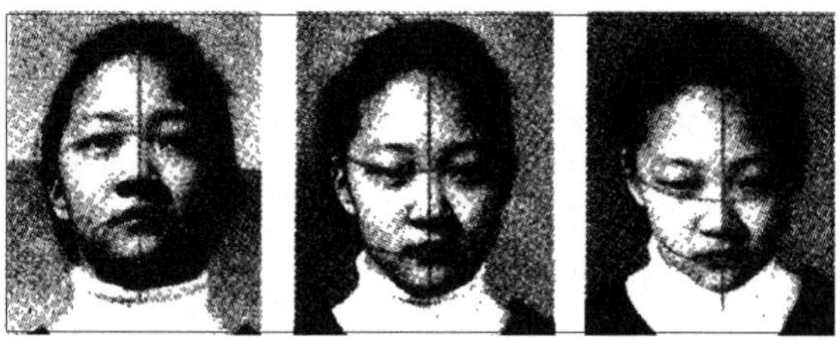
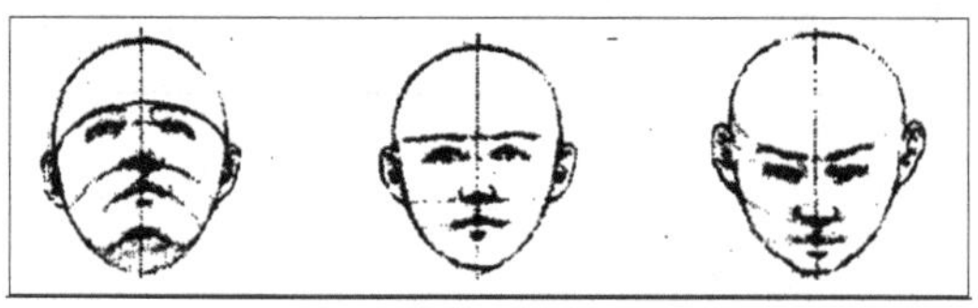

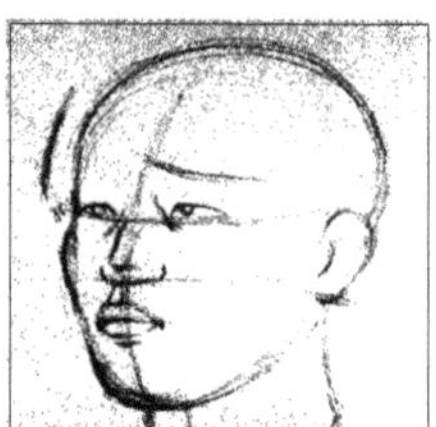
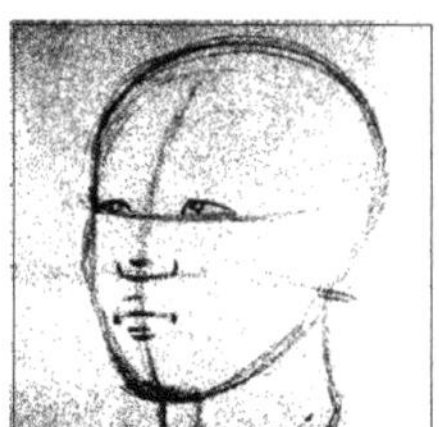

저자약력

박철홍

미국 뉴욕주립대학교(버팔로) 대학원 교육철학 전공(철학박사)

현재 영남대학교 사범대학 교육학과 교수(1994~)

〈주요저서〉 현대 사회와 교육의 이해: 교육철학의 최근 동향(교육과학사, 1994 공저)
아동과 교육과정/경험과 교육(문음사, 2002 역)
도덕성 회복과 교육(교육과학사, 2002 공저)
예언자(김영사, 2004 역)
교육윤리가 바로 서야 나라가 산다(교육과학사, 2007 공저)
현대교육학개론(학지사, 2013 공저)
스무살의 인문학(이학사, 2015 공저)
경험으로서 예술(나남출판, 2016 역)
청춘을 위한 인문학(열린시선, 2016 공저)

김병주

서울대학교 대학원 교육학과(교육학박사)

현재 영남대학교 사범대학 교육학과 교수(1995~)

〈주요저서〉 Sixty Years of Korean Education(SNU Press, 2010)
선생님 어디계세요?: 교직사회의 현황, 갈등, 처방(교육과학사, 2011)
한국교육의 새 지평: 교육의 재구조화(교육과학사, 2011)
비교교육학: 이론과 실제(교육과학사, 2012)
한국 교육정책 현안과 해법(교육과학사, 2013)
교육재정학(학지사, 2014)
교육재정학(학지사, 2015)
한국지방교육자치론(학지사, 2018)
비교교육학과 교육학(양성원, 2018)

김재춘

미국 UCLA, 교육과정 전공 (철학박사)
현재 영남대학교 사범대학 교육학과 교수(2000~)
〈주요저서〉 수준별 교육과정의 이해(교육과학사, 2000)
교육과정과 교육평가(교육과학사, 2002)
교실수업 개선을 위한 교수학습활동의 이론과 실제(교육과학사, 2005)
Caught in the Web or Lost in the Textbook?(Iartem, 2006)
교육과정: 이론과 실제를 겸비한 인재 양성 지도서(교육과학사, 2016).
들뢰즈와 교육(학이시습, 2016).
학교의 미래, 미래의 학교(미래엔, 2018)

조규락

미국 Pennsylvania State대학교 대학원 교수체제공학 전공(철학박사)
현재 영남대학교 사범대학 교육학과 교수(2004~)
〈주요저서〉 교수모형(아카데미프레스, 2005)
교육방법 및 교육공학: 교육공학의 3차원적 이해(학지사, 2006)
컴퓨터 테크놀로지 활용 모델링: 개념변화를 위한 마인드툴(아카데미프레스, 2007)
문제해결학습: 교수설계가이드(학지사, 2009)
테크놀로지와 함께 하는 유의미학습(아카데미프레스, 2014)
통계법 기초, 종류, 사례(양서원, 2014)
문제해결과 학습디자인(학지사, 2019)

정 은

독일 Bremen대학교 장애인교육학 전공(철학박사)
현재 영남대학교 사범대학 교육학과 교수(2005~)
〈주요저서〉 장애, 움직이는 시선(먼못, 2007)
왜 '특수'인가? (먼못, 2007)
인간발달과 장애(영남대학교출판부, 2012)

김상섭

독일 Münster대학교 대학원 교육철학 전공(철학박사)
현재 영남대학교 사범대학 교육학과 교수(2009~)
〈주요저서〉 Die Selbstkonstituierung des moralischen Subjekts und das Faktum der Vernunft(Waxmann, 2003)
교육학의 거장들 1, 2(한길사, 2004)
플라톤, 메논(조선대학교출판부, 2007 역)
루소, 제1논문: 학문예술론(조선대학교출판부, 2007 역)
쉴러, 인간의 미적 교육론(조선대학교출판부, 2007 역)
현대인의 교사 루소(학지사, 2009)

이윤주

서울대학교 교육학과 대학원 교육상담 전공(교육학박사)
현재 영남대학교 사범대학 교육학과 교수(2009~)
〈주요저서〉 건강한 상담자만이 남을 도울 수 있다(학지사, 2003 역)
상담사례개념화의 영역과 요소(한국학술정보, 2007)
청소년자살상담(학지사, 2008)
교육심리학서설 개정판(교육과학사, 2009)
상담학개론(학지사, 2013)
전문상담자의 세계(사회평론아카데미, 2016 역)
학교폭력 지도와 상담(영남대학교출판부, 2017)

허 준

서울대학교 대학원 평생교육 전공(교육학박사)
현재 영남대학교 사범대학 교육학과 교수(2011~)
〈주요저서〉 평생교육경영론(한국방송통신대학출판부, 2011)
위기, 변화, 공동체학습(교육과학사, 2012)
페페의 희망교육(학이시습, 2012 역)
문해교육: 파울로 프레이리의 글 읽기와 세계 읽기(학이시습, 2014 역)
효과적인 성인문해교육을 위한 교수 방법: 현장 사례와 적용(국가평생교육진흥원, 2018 역)

이용상

미국 Univ. of California at Berkeley 교육측정 및 평가전공(철학박사)

현재 영남대학교 사범대학 교육학과 교수(2019~)

〈주요저서〉 과정중심 평가 도구 개발을 위한 문항반응모형을 적용한 척도개발(한국문화사, 2018 역)